汉 语 入 门

下 册

An Easy Approach to Chinese

(Ⅱ)

郭辉春 著

北京·华语教学出版社

Sinolingua

First Edition 2003
Third Printing 2010

ISBN 978-7-80052-856-9

Published by Sinolingua
24 Baiwanzhuang Road, Beijing 100037, China
Tel: (86) 10-68320585
Fax: (86) 10-68326333
http:// www.sinolingua.com.cn
E-mail: hyjx@sinolingua.com.cn
Printed by Beijing Foreign Languages Printing House

Printed in the People' s Republic of China

前言 >>>>

1. 本书供西方人短期学习汉语之用，尤其适合在华工作的外国商业界人士。

2. 本书以拼音代替汉字，以实用为目的，强调听、说能力的培养。学完本书上篇，学员即可进行简单日常会话。下篇的内容更为生动活泼，包括少量常用成语。每周学习五课时，学完上、下两篇约需半年时间。

3. 书中句子的安排注重汉、英两种语言词序的比较，使学员易懂、易记，因而免去了对汉语语法的系统、详细介绍；为满足对比的要求，英语译文难免有削足适履之嫌。下篇出现一些语法注释以解释较复杂的语言现象，此类注释仅限于帮助学员理解该课内容，不宜当作严谨而全面的汉语语法知识。

4. 每课书出现若干生词，部分生词作为基本词汇用于句型之中，其余作为参考词汇，可用于练习中。当部分参考词汇应用于后面的句型中时，这些词汇将作为基本词汇再次出现在生词表中。

5. 由于本书不使用汉字，教师应特别注重词语教学并加强复习和练习。汉语的同音字只有经过反复而灵活、生动的复习才能加以区分，因此，一位有经验的教师的指导是学习成功的保证。

6. 在此对 Mr. B. Quaranta, Ms. N. Theisen, H. /E. Markwart 和 Mrs. L. Snyder 所提出的宝贵建议和意见表示衷心感谢.

如果没有 FESCO 的领导和同事所给予的帮助和鼓励，本书恐难以完成。在此一并表示衷心谢意。

<<<< PREFACE

1. This textbook, composed of two volumes, has been prepared for use by foreigners in a short – term course of Chinese language. It is suitable for all English – speaking students and, in particular, businessmen working in China.

2. Instead of Chinese characters, pinyin (Chinese phonetic symbols) has been utilized in it. The aims of the contents are for practical use. Emphasis has been given to comprehension and speaking ability. The students will be able to speak in simple conversations on daily life after finishing volume 1.

Volume 2 provides more vivid materials including some commonly used idioms. It takes about half a year to finish the whole book if 5 lessons are arranged per week.

3. This textbook gives no systematic nor detailed introduction to Chinese grammar. The sentences in Volume 1 are arranged im such a way that the comparisons of word order between Chinese and English will make students understand them easily. To meet the requirements of such comparisons, the English translation can only be done in a less idiomatic way.

Concise grammar notes can be found in Volume 2 to facilitate the study, but these notes should not be taken as comprehensive Chinese grammar.

4. Each lesson contains a number of new words, some of which appear in pattern sentences as basic words and the rest in exercises as reference words. Some reference words may reappear in the new word list when they are appiled to pattem sentences in latter lessons.

5. This textbook, without Chinese characters, requires teachers to pay great attention to the study of words and review them reguarly. Homophone words can only be discriminated by constant repetitions in a flexible way. For this reason, an experienced teacher is the guarantee for the success of this course.

6. The compiler is very grateful to Mr. B. Quaranta, Ms. N. Theisen, H. /E. Markwart and Mrs. L. Snyder for their valuable advice.

His gratitude also extends to the managers of FESCO and his colleagues. Without their encouragement and assistance, this book would never have been attempted.

目录

CATALOGUE

Brooke

LESSON 1

Sentences

1. **Wǒ huì/néng shuō yìdiǎnr Hànyǔ.**
   I can speak a little Chinese.
2. **Tā bú huì dǎ wǎngqiú.**
   He does not know how to play tennis.
3. **Nǐ huì yòng jìsuànjī ma?**
   /Nǐ huì bu huì yòng jìsuànjī?
   Are you good at computers?
   Wǒ huì.
   Yes, I am.
4. **Wǒ huì kāi qìchē. Dànshì zài Zhōngguó wǒ bù néng kāi qìché, yīnwèi wǒ méiyǒu Zhōngguó de jiàshǐzhèng.**
   I learned how to drive. But I can not drive in China, because I do not have the Chinese driving license.
5. **Wǒmen de zǒnggōngsī zài Běijīng, zài bié de chéngshì háiyǒu jǐ jiā fēngōngsī.**
   Our head office is in Beijing and we also have several branch companies in other cities.
6. **Xià xīngqī nǐ yào cānjiā jǐ gè huì?**
   How many meetings are you going to attend next week?
   Wǒ yào cānjiā sì gè huì: yí gè yántǎohuì, yí gè zhāodàihuì, yí gè shēngrì wǎnhuì hé yí gè zhǎnlǎnhuì.
   I will attend four meetings: a symposium, a reception, a birthday party and an

exhibition.

7 **Wǒ xīwàng wǒmen de hézuò néng chénggōng.**

I hope that our cooperation can succeed.

Wǒmen de hézuò huì chénggōng de.

Wǒ yǒu xìnxīn.

Our cooperation is sure to succeed. I have confidence.

8 **Zhè jiàn shì bú huì yǒu máfan de.**

There will surely be no trouble with this matter.

Dialogue

A: Yántǎohuì shénme shíhou jǔxíng? Dìngle ma?

B: Shì de. Xià yuè 10 hào dào 14 hào, zài Chángchéng Fàndiàn jǔxíng.

A: Nǐ dìng fángjiānle ma?

B: Yǐjīng dìng le. Wǒ dìngle yí gè huìyìshì, kěyǐ zuò 100 gè rén.

A: Ānpái rìchéngle ma?

B: Ānpái le. Zhè shì rìchéngbiǎo, gěi nín.

A: Bùzhǎng xiānsheng xiǎng huìjiàn dàibiǎo.

Shénme shíhou huìjiàn?

B: 13 hào huòzhě 14 hào wǎnshang. Wǒ zài hé tāmen liánxì yíxià. Dìngle yǐhòu, wǒ gàosù nín.

A: Hǎo de. Máfan nǐ le.

New Words

1	huì	会	v.	be able to; can; be good at
2	huì…(de)	会……(的)	v.	be sure to
3	huì	会	n.	meeting; gathering
4	jìsuànjī	计算机	n.	computer
5	kāi qìchē	开汽车		drive a car
6	jǐ	几	num. /pron.	a few; several/how many
7	jiā	家	n.	home, measure word (for business establishments)
8	chéngshì	城市	n.	city
9	zǒnggōngsī	总公司	n.	head office (of a corporation)
10	fēngōngsī	分公司	n.	branch company
11	yántǎohuì	研讨会	n.	seminar; symposium
12	zhāodàihuì	招待会	n.	reception
13	shēngrì	生日	n.	birthday
14	zhǎnlǎnhuì	展览会	n.	exhibition
15	xīwàng	希望	v.	hope
16	hézuò	合作	n.	cooperation
17	xìnxīn	信心	n.	confidence
18	máfan	麻烦	n. /v. /adj.	trouble; bother, troublesome; inconvenient
19	jǔxíng	举行	v.	hold (a meeting, ceremony etc.)
20	dìng	定	v.	fix; set; decide
21	ānpái	安排	v. /n.	arrange/arrangements
22	rícheng	日程	n.	schedule; agenda
23	biǎo	表	n.	list; form
24	rìchèngbiǎo	日程表	n.	schedule
25	bùzhǎng	部长	n.	minister

26	huìjiàn	会见	v.	meet (some one)
27	dàibiǎo	代表	n.	representative; delegate
28	liánxì	联系	v.	contact

Word Study

1. dìng:

(1) v. make a reservation

e. g: **dìng fángjiān, dìng fēijīpiào, dìng fàn.**

(book a room, book air tickets, book a meal, book a table)

(2) v. fix; set; decide

e. g: **shíjiān dìng le, jiàgé dìng le, rìchéng dìng le.**

(time is fixed, price is set, schedule is fixed.)

2. huì:

n. meeting; gathering

e. g: **míngtiān yǒu yí gè huì, kāihuì, shénme huì.**

(Tomorrow there will be a meeting, attend/hold a meeting, what kind of meeting?)

dàhuì, xiǎohuì, zhǎnlǎnhuì, zhāodàihuì,

(mass meeting, small meeting, exhibition, reception,)

yántǎohuì, yīnyuèhuì, Àolínpǐkè Yùndònghuì.

(seminar, concert, Olympic game.)

Exercises

1. Substitution Drills

(1) Wǒ huì tán gāngqín .

tán jítā

dǎ wǎngqíu

fā E -mail

xiūlǐ jìsuànjī

zuò shēngyi

(2) Tā bú huì yóuyǒng .

huá bīng
yòng kuàizi
kāi qìchē
shuō Yīngyǔ

(3) Tā huì tóngyì de.
lái
qù
mǎnyì
tōngzhī nǐ

(4) Wǒ bú huì wàng de.
chídào
bìng
shēngqì
pòchǎn

(5) Wǒ xīwàng nǐ xǐhuan zhè gè cài.
nǐ cháng lái wǒ jiā wánr
nǐ yǐhòu zài lái Zhōngguó gōngzuò
zhè gè wèntí huì hěn kuài jiějué

(6) Wǒ yǒu jǐ gè hǎopéngyǒu.
běn Zhōngwén shū
gè wèntí
jiàn lǎo cíqì
bǎi Měiyuán

(7) Qǐng nǐ hé wǒ de mìshu liánxì.
zǒnggōngsī
wéixiūbù(mén)
xiāoshòubù(mén)
zhèngfǔ bùmén

(8) Máfan nǐ geǐ wǒmen fā yí gè chuánzhēn.
tōngzhī tā zhè jiàn shì
gěi wǒ mǎi yì běn Zhōngwén cídiǎn
péi tāmen qù Chángchéng

(9) Zhè jiàn shì hěn máfan.
bù
bú tài
yǒu yìdiǎnr

(10) Ānpái rìchéngle ma? ——Yǐjīng ānpái le.
cānguān
fángjiān
chē
fàn

2. Read the notes (following reference words) first, then make sentences with "huì", "huì . . . de" and "xīwàng" respectively.

3. Translate the English in the brackets of " Sentences" into Chinese orally.

4. Write a short conversation imitating the "Dialogue".

Reference Words

1	tán	弹	v.	play (a musical instrument with fingers)
2	gāngqín	钢琴	n.	piano
3	jítā	吉他	n.	guitar
4	huábīng	滑冰	v. /n.	skate/skating
5	jiějué	解决	v.	solve (a problem)
6	cíqì	瓷器	n.	porcelain; chinaware
7	wéixiū	维修	n.	maintenance
8	xiāoshòu	销售	n.	sales; marketing
9	bùmén	部门	n.	department
10	zhèngfǔ	政府	n.	government
11	péi	陪	v.	accompany

Notes

"néng" and "huì"

1. "néng" means "can, be able to"

1) used to express ability

e. g: **Wǒ néng shuō Hànyǔ.**
(I can speak Chinese.)
Tā néng kàn Yīngwén shū.
(He can read English books.)
Nǐ néng yòng kuàizi ma?
(Can you use chopsticks?/Do you know how to use chopsticks?)
Wǒ néng pǎo 10,000 mǐ.
(I can run 10,000 meters.)

2) used to show what is possible or to ask questions about possibility
e. g: **Míngtiān tā néng huílái.**
(He can come back tomorrow.)
Tā bìng le, bù néng chī dōngxi.
(He is sick. He can not eat anything.)
Nǐ néng gàosù wǒ nǐ de diànhuà (hào) ma?
(Can you tell me your telephone number?)

3) used to express permission
e. g: **Wǒmen néng/kěyǐ zài nàr tíngchē.**
(We can park our car there.)
Zhè yuè nǐ bù néng xiūjià.
(You can't take a holiday this month.)

2. "huì"

1) used to express ability which is usually acquired as a result of study, meaning"can, be able to"
e. g: **Wǒ huì shuō Hànyǔ, dànshì bú huì shuō Déyǔ.**
(I can speak Chinese, but I can not speak German.)
Tā huì yòng chuánzhēnjī.
(He knows how to use a fax machine.)
Nǐ huì yóuyǒng ma?
(Have you learned swimming?)

2) used to express mastering a skill, meaning"be good at, masterly"
e. g: **Wǒ huì xiūlǐ qìchē.** (I can repair a car.)
Tā huì zuò fàn. (He is good at cooking.)
Nǐ zhēn huì zuò shēngyi! (You are really good at business!)

3) used to express doubtlessness with"**de**", meaning"be sure to, be likely to". "**de**" gives an affirmative tone and can be omitted if the sentence is not very short.

e. g: **Tā huì lái de.** (He will surely come.)

Nǐ huì hǎo de. (You will be recovered for sure.)

Wǒ huì gàosù nǐ (de). (I will certainly tell you.)

Wǒmen de hézuò huì chénggōng (de).

(Our cooperation will surely succeed.)

LESSON 2

Sentences

1. **Yínháng zài nánbian.**
   The bank is in the south.
2. **Dàshǐguǎn zài wàijiāo gōngyù de hòubian.**
   The embassy is behind the Diplomatic apartment building.
3. **Shūdiàn zài huàláng hé kāfēidiàn de zhōngjiān.**
   The bookstore is located between the picture gallery and the coffee bar.

4. **Zhōngguó de běibian shì Éluósī.**
   Russia is on the north of China.

5 **Wǒ de fángjiān pángbian shì huìyìshì.**

The meeting room is next to my room.

6 **Cóng zuǒbian shǔ, dì èr gè fángjiān shì wǒ de bàngōngshì.**

The second room from the left is my office.

7 **Diànhuà zài zhuōzi shàngbian. Pángbian shì diànnǎo.**
Zhuōzi xiàbian shénme dōu méiyǒu.

The telephone is on the desk. Next to it, is the computer. There is nothing under the desk.

8 **Tā shénme dōu zhīdào. Nǐ zuìhǎo qù wèn tā.**

He knows everything. You'd better ask him.

9 **Shàng gè zhōumò nǐ qù nǎr wánr le?**

Where did you go for fun last weekend?

——Wǒ nǎr dōu méi qù. Wǒ yǒu hěnduō shì.

I didn't go anywhere. I had a lot of things to do.

10 **Nǐ rènshi nà gè gōngsī de rén ma?**

Do you know anyone working in that company?

——Wǒ shéi dōu bú rènshi.

I don't know anyone.

Dialogue

1) A: Qǐng wèn, qù Tiān'ānmén zěnme zǒu?
   B: Zhè tiáo lù jiào "Cháng'ān Jiē", shì Běijīng zuì cháng de lù. Nín yìzhí zǒu jiù néng dào Tiān'ānmén.

2) A: Qǐng wèn, Yīngguó Dàshǐguǎn zài nǎr?
   B: Wǎng dōng zǒu, dào hónglǜdēng wǎng zuǒ guǎi. Dào dì èr gè hónglǜdēng zài wǎng zuǒ guǎi jiùshì.

3) A: Qǐng wèn, qù Zhōngguó Yínháng zěnme zǒu?
   B: Yìzhí wǎng xī, dào lìjiāoqiáo wǎng yòu guǎi, Zhōngguó Yínháng de bàngōnglóu zài mǎlù de yòubian.

New Words

1 dōngbian/dōng 东边/东 n. east

2	xībian/xī	西边/西	n.	west
3	nánbian/nán	南边/南	n.	south
4	běibian/běi	北边/北	n.	north
5	shàngbian/shàng	上边/上	n.	above
6	xiàbian/xià	下边/下	n.	underneath
7	zuǒbian/zuǒ	左边/左	n.	left
8	yòubian/yòu	右边/右	n.	right
9	hòubian	后边/后	n.	back; behind
10	zhōngjiān	中间	n.	middle
11	pángbiān	旁边	n.	side; next to
12	wèn	问	v.	ask (a question)
	qǐng wèn	请问		May I ask . . .
13	wàijiāo	外交	n.	diplomatic
14	gōngyù	公寓	n.	apartment building
15	shūdiàn	书店	n.	book store
16	huàláng	画廊	n.	picture gallery
17	kāfēidiàn	咖啡店	n.	coffee bar
18	Éluósī	俄罗斯	n.	Russia
19	shǔ	数	v.	count
20	dì	第		a prefix used to form ordinal numerals
21	zhuōzi	桌子	n.	desk; table
22	zǒu	走	v.	walk
23	mǎlù/lù	马路/路	n.	road
24	tiáo	条	measure word (for road, street)	
25	Cháng'ān Jiē	长安街	n.	Chang'an Avenue
26	yìzhí	一直	adv.	straight forward
27	jiù	就	adv.	exactly
28	wǎng	往	prep.	in the direction of ; towards
29	hónglǜdēng	红绿灯	n.	traffic lights
30	guǎi	拐	v.	turn
31	lìjiāoqiáo	立交桥	n.	overpass
32	bàngōnglóu	办公楼	n.	office building

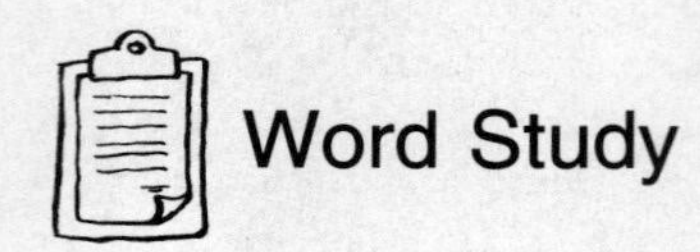

1. **zěnme:** how to (followed by a verb.)

   e.g: **zěnme qù, zěnme shuō, zěnme yòng, zěnme chī, zěnme zǒu, zěnme guǎi, zěnme kāi, zěnme kàn, zěnme mài.**

2. **zěnmeyàng:** how is/are, how about

   e.g: **Nǐ shēntǐ zěnmeyàng?**

   Zhè gè cài zěnmeyàng?

   Xiàbān yǐhòu wǒmen qù yóuyǒng, zěnmeyàng?

3. **jiù:** soon; just; exactly

   e.g: **Qǐng děng yíxiàr, wǒ mǎshàng jiù lái.** (soon)

   Tāmen hěn kuài jiù zhīdào le. (soon)

   Wǒ zhǎo Wáng xiǎojiě.

   ——**Wǒ jiù shì.** (exactly)

   Zhè wèi jiùshì wǒmen de zǒngjīnglǐ. (exactly)

   Nà jiùshì wǒ jiā. (exactly)

   Jiù zhèyàng. (just)

1. Substitution Drills

(1) Tíngchēchǎng zài qiánbian.

duìmiàn

gōngyuán (de) duìmiàn

lǐbian

wàibian

gōngyuán (de) wàibian

(2) Qiánbian jiùshì Tiān'ānmén.

Qiánbian	jiùshì	Tiān'ānmén.
Dōngbian		wǒmen de bàngōnglóu
Duìmiàn		cāntīng
Zhōngjiān		kètīng
Pángbiān		dàshǐguǎn
Yóujú pángbiān		wǒ(de) jiā

(3) Nǐ huì kàn dìtú ma?

Wǒ huì kàn, shàngbian shì běi .

xiàbian nán

zuǒbian xī

yòubian dōng

(4) Qiánbian de qìchē shì shéi de? ——Shì wǒ de.

Hòubian

Zuǒbian

Yòubian

(5) Bàozhǐ zài guìzi shàngbian.

Shū bàozhǐ

Qiánbāo shū

Shǒujī qiánbāo

(6) Mǎlù yòubian dì yī gè lóu shì wǒmen gōngsī.

èr Zhōngguó Yínháng

sān bǎoxiǎn gōngsī

(7) Shìjièbēi Zúqiúsài jiéshù le. Bāxī duì dì yī míng.

Déguó èr

Yìdàlì sān

(8) Rìchéng ānpáile ma?

Shì de. Dì yī tiān qù Chángchéng hé Shísān Líng.

èr Tiān'ānmén hé Gùgōng

sān Tiāntán hé Yǒuyì Shāngdiàn

(9) Wǒ shénme dōu zhīdào, Tā shénme dōu bù zhīdào.

dǒng dǒng

mǎi mǎi

chī chī

huì bú huì

(10) Tā shénme shēngyi dōu zuò.

shū kàn

dìfang qù

dōngxi mǎi

jiǔ hē

(11) Wǒ nǎ gè cài dōu bù xǐhuan.

běn shū bú yào

jiàn yīfu bù mǎi

(12) Wǒ nǎr dōu bú qù.
rènshi
bù xǐhuan

2. Read aloud the words of locality, paying attention to the pronunciation of "zhōngjiān" and "duìmiàn".

dōngbian	xībian	nánbian	běibian
qiánbian	hòubian	zuǒbian	yòubian
shàngbian	xiàbian	lǐbian	wàibian
pángbiān	zhōngjiān	duìmiàn	

3. Use some of the above words in the following sentence patterns.

(1) "noun. /pron. + zài + word of locality"
(2) "word of locality + shì + noun. /pron. "

4. Make sentences with each of the following.

(1) shénme + dōu
(2) shéi + dōu
(3) nǎr + dōu
(4) nǎ + a measure word + noun + dōu

5. Fill in the blanks with "zěnme" or "zěnmeyàng".

(1) Qǐng wèn, qù Tiāntán______zǒu?
(2) Hànyǔ______shuō "insurance company"?
(3) Zhè gè cài______?
(4) Wǒ bù zhìdào______hé tā liánxì.
(5) Míngtiān wǒmen 8: 30 shàngkè, ______?

6. Translate the English in the brackets of "Sentences" into Chinese orally.

7. Read aloud the following.

1) **yìzhí zǒu/kāi** (go/drive straight forward)
2) **wǎng zuǒ guǎi** (turn to the left)
3) **wǎng yòu guǎi** (turn to the right)
4) **diàotóu** (make a U-turn)
5) **hónglǜdēng** (traffic lights)

6) lùkǒu (cross; intersection)
7) lìjiāo qiáo (fly over)
8) qiáo (bridge)

8. Write a short conversation imitating the "Dialogue".

Reference Words

1	qiǎnbian	前边	n.	front
2	duìmiàn	对面	n.	opposite
3	lǐbian	里边	n.	inside
4	wàibian	外边	n.	outside
5	dìtú	地图	n.	map
6	qiánbāo	钱包	n.	wallet; purse
7	bǎoxiǎn	保险	n.	insurance
8	shìjiè	世界	n.	the world
9	zúqiúsài	足球赛	n.	football match
	zúqiú	足球	n.	football; soccer
	sài	赛	n.	match; competition
10	Shìjièbēi Zúqiúsài	世界杯足球赛		the World Cup Football Competition
11	jiéshù	结束	v.	end; wind up
12	míng	名	n.	order
13	Shísān Líng	十三陵	n.	the Ming Tombs
14	Tiāntán	天坛	n.	the Temple of Heaven
15	mài	卖	v.	sell
16	diàotóu	调头	v.	make a U – turn
17	lùkǒu	路口	n.	cross; intersection
18	qiáo	桥	n.	bridge

Notes

When an interrogative pronoun, such as: **"shénme, nǎ, shéi, nǎr"** etc. is followed by "**dōu**", it is not an interrogative, but a pronoun, meaning: "anything, any, anyone, anywhere".

e. g: 1. **Nín xiǎng hē shénme?** (What would you like to drink?)
Wǒ shénme dōu bù hē. (I don't want to drink anything.)
2. **Nín xiǎng hē shénme?** (What would you like to drink?)
Shénme dōu xíng. (Anything will be OK. /I have no preference.)
3. **Tā shénme diànshì dōu xǐhuan kàn.** (He likes watching any TV programs.)
4. **Wǒ nǎ gè cài dōu bù xǐhuan.** (I don't like any of the dishes.)
5. **Tā shéi dōu rènshi.** (He knows everyone.)
6. **Shéi dōu bù zhīdào.** (Nobody knows.)
7. **Míngtiān wǒmen nǎr dōu bú qù.** (We won't go anywhere tomorrow.)
"**dōu**" can be replaced by "**yě**".

LESSON 3

Sentences

1. **Zuótiān yèlǐ xiàyǔ le. Xiànzài qíng le.**
   It rained last night. Now it has cleared up.)
2. **Yǐqián tā shì xīnshǒu, xiànzài tā shì yǒu jīngyàn de tuīxiāoyuán le.**
   He was a new hand before. Now he's become an experienced salesman.
3. **Wǒ yào Qīngdǎo zhāpí.**
   I want some Qingdao draft beer.
   Duìbuqǐ, méiyǒu le.
   Sorry, it is sold out.
4. **Tā gěi wǒ dǎ diànhuà shuō, tā bù lái le. Wǒmen bié děng tā le.**
   He told me by telephone that he would not come. We will not wait for him any longer.
5. **Liù diǎn le. Yīnggāi xiàbān le. Wǒmen zǒu ba.**
   It's already six o'clock. It's time to knock off work. Let's go.
6. **Tiān hěn yīn, kàn qǐlai yào xiàyǔ le.**
   It is overcast and it looks like rain.
7. **Xià yuè tāmen yào huíguó le.**
   They are going to return to their home country next month.
8. **Xiàtiān kuàiyào dào le.**
   Wǒ yīnggāi mǎi yì bǎ sǎn.
   Summer is coming. I should buy an umbrella.
9. **Wǒmen jiùyào yǒu xīn bàngōngshì le.**
   We are going to have a new office.

10 **Shǎo hē jiǔ, duō chī fàn.**
Drink less and eat more.

Dialogue

Zài fàndiàn dàtáng

A: Nǐ hǎo! Nǐ děng péngyou ma?
B: Shì de. Wǒ déng yí wěi kèrén. Tā shuō, tā jiǔ diǎn lái.
A: Xiànzài yǐjīng jiǔ diǎn yí kè le. Tā wèishénme hái měi lái ne?
B: Wǒ bù zhīdào. Tā yīnggāi lái le.
A: Bié zháojí. Jīntiān xiàyǔ, lù bù hǎo zǒu.
Kěnéng duō yòng yìxiē shíjiān.
B: Yě kěnéng yǒu bié de máfan shì, bǐrú, qìchē méi yóu le,
lúntāi méi qì le.
A: Tā yídìng lái ma?
B: Tā méi gěi wǒ dǎ diànhuà, suǒyǐ tā yídìng huì lái de. Nǐ kàn,
tā lái le. Wèi!

New Words

1	yèlǐ	夜里	n.	night
2	xiàyǔ	下雨	v.	rain
3	qíng	晴	adj.	sunny; clear
4	xīnshǒu	新手	n.	new hand; person with little experience
5	jīngyàn	经验	n.	experience
6	yǒu jīngyàn de	有经验的	adj.	experienced
7	tuīxiāoyuán	推销员	n.	salesman
8	zhāpí	扎啤	n.	draft beer
9	bié	别	adv.	don't
10	yīn	阴	adj.	overcast
11	yào…le	要……了		shall; will; be going to
12	xiàtiān	夏天	n.	summer
13	bǎ	把	measure word (for umbrella, chair, etc.)	
14	sǎn	伞	n.	umbrella
15	shǎo	少	adj.	less
16	duō	多	adj.	more
17	dàtáng	大堂	n.	lobby
18	zháojí	着急	adj.	be anxious; be worried
19	kěnéng	可能	v.	maybe; possible
20	bǐrú	比如	conj.	for example
21	yóu	油	n.	oil
22	lúntāi	轮胎	n.	tyre
23	qì	气	n.	air
24	suǒyǐ	所以	conj.	therefore

Word Study

1. duō: adj. many, much

   adv. more

   adv. how (followed by an adj. /adv.)

e. g: Wǒ yǒu hěn duō péngyou.
Nǐ de shū zhēn duō!
Jīntiān wò de gōngzuò bú tài duō.
Nǐ yīnggāi duō yùndòng.
Duō chī yìdiǎnr!
Zhè gè fángjiān duō dà?
Zhè zhāng zhuōzi duō cháng? Duō kuān? Duō gāo?

2. shǎo: adj. little, few
adv. less

e. g: Wǒ de Zhōngwénshū hěn shǎo.
Xiūxi shíjiān tài shǎo.
Nǐ yīnggāi shǎo chī ròu.
Zuì hǎo shǎo kàn diànshì.

3. duōshao: how many, how much

e. g: Nǐ yǒu duōshao běn Zhōngwénshū?
Zhè jiàn yīfu duōshao qián?

4. bié/bú yào: don't (used in an imperative sentence.)

e. g: Bié/bú yào chóu yān!
Bié/bú yào wàng le!
Qǐng bié/bú yào yòng shǒujī.
Nǐ bié/bú yào gàosù tā.

5. bié de: pron./adj. others/other

e. g: Nín hái yào bié de ma? ——Bú yào bié de le.
Yǒu bié de yánsè yīfu ma?

Exercises

1. Substitution Drills

(1) Shàngwǔ xiàyǔ, xiànzài bú xià le.
xiàxuě — bú xià
guāfēng — bù guā
yīntiān — qíng

(2) Yǐqián tā shēntǐ bù hǎo, xiànzài hǎo le.
bú huì shuō Hànyǔ — huì

cháng chídào　　bù
chōu yān　　bù

(3) Yǐqián tā shì wàiháng, xiànzài shì nèiháng le.
gōngrén　　gōngchéngshī
hùshì　　dàifu
zhíyuán　　lǎobǎn

(4) Tā yǒu qìchē le.
zìjǐ de fángzi
gōngzuò
jiā
háizi

(5) Liùdiǎnbàn le, gāi/yīnggāi xià bān le.
7: 00　　huí jiā
8: 00　　shàng bān
12: 00　　chī fàn
11: 00　　shuìjiào
9: 45　　qù fēijīchǎng

(6) Yào xiàyǔ le.
xiàxuě
guāfēng
qíng

(7) Wǒ yào huí guó le.
xiūjià
chūchāi
kāihuì

(8) Chūntiān yào dào le.
Xiàtiān jiùyào
Qiūtiān kuài yào
Dōngtiān mǎshàng yào

(9) Hétong kuài(yào) qiān le.
Kèrén　　dào
Tā　　jiéhūn
Wǒ　　tuìxiū

(10) Tā shì yí gè yǒu jīngyàn de dàifu .
hùshi
lǎoshī
gōngchéngshī

(11) Tā kěnéng bù zhīdào zhè jiàn shì.
bù dǒng Yīngyǔ
yǒu yìdiǎnr bù shūfu
xīnqíng bù hǎo
bù lái le

(12) Nǐ yīnggāi duō shuō Hànyǔ.
yùndòng
xiūxi
chī qīngcài
chī shuǐguǒ

(13) Nǐ yīnggāi shǎo chī táng.
chī ròu
hē jiǔ
chōuyān

(14) Bié qù le. Wǒ yǐjīng qù le.
mǎi   mǎi
dǎ diànhuà   dǎ

(15) Bié wàng le!
diū
chídào
hē

(16) Bié/Bú yào dòng nà tái jìsuànjī .
wǒ de wénjiàn
zhuōzi shàng de dōngxi
nà gè kāiguān
nà gè ànniǔ

2. Read the following sentences and pay attention to the function of "le".

(1) Shàng xīngqī tā chūchāi le.
(2) Tāmen qù shāngdiàn le.
(3) Wǒ mǎi Hànyǔshū le.
(4) Wǒ mǎile sān běn shū.
(5) Chūntiān dào le, shù lǜ le.
(6) Wǒ huì yòng kuàizi le.
(7) Tā shì zǒnggōngchéngshī le.
(8) Diànnǎo huài le.

3. *Make sentences with "kěnéng" and "yào . . . le" respectively.*

4. *Translate the English in the brackets of " Sentences" into Chinese orally.*

5. *Translate the following into Chinese:*

(1) I want a cup of coffee.

(2) He wants to buy a new car.

(3) They are going to be married.

(4) It is going to snow.

(5) I am going to retire next year.

6. *Write a short conversation imitating the "Dialogue".*

Reference Words

1	xiàxuě	下雪	v.	snow
2	guā	刮	v.	(of the wind) blow
	guāfēng	刮风	v.	wind blows
3	wàiháng	外行	n.	layman; non – expert
4	nèiháng	内行	n.	expert
5	gōngrén	工人	n.	worker
6	gōngchéngshī	工程师	n.	engineer
7	hùshi	护士	n.	nurse
8	zhíyuán	职员	n.	staff member
9	chūntiān	春天	n.	spring
10	qiūtiān	秋天	n.	autumn
11	qīngcài	青菜	n.	vegetables; greens
12	diū	丢	v.	lose; miss
13	dòng	动	v.	touch
14	wénjiàn	文件	n.	document
15	ànniǔ	按钮	n.	push button

Notes

1. le

"**le**" placed at the end of a sentence can indicate a change of situation or state.

e. g: **Yǔ tíng le.** (The rain has stopped.)

Tā hǎo le. (He has recovered. – He was sick.)

Wǒ yǒu nǚpéngyou le. (I have a girl friend. I hadn't before.)

Tā shì zǒngjīnglǐ le. (He has become a general manager.)

Compare with: **Tā shì zǒngjīnglǐ.** (He is a general manager.)

2. yao. . . le

The construction of "**yào . . . le**" indicates the new circumstance or an action is going to occur in a short time. "**yào**" should be placed before the predicate, meaning "shall, will, be going to", while "**le**"at the end indicating new changes.

e. g: **Tiān yào qíng le.** (It is going to clear up.)

Wǒ yào xiūjià le. (I am going to take a holiday.)

Fēijī yào qǐfēi le. (The plane is going to take off.)

"**jìu**(soon)", "**kuài**(fast, quickly)" or "**mǎ shàng** (immediately)" are often placed before "**yào**" to emphasize the shortness of time.

LESSON 4

Sentences

1. **Zhè shì wǒ xīn mǎi de wǎn. Nǐ kàn, zhí duōshao qián?**
   This is the bowl I newly bought. How much do you think it is worth?
   Zhè shì lǎo de. Wǒ kàn zhí 800 Kuài qián.
   It is an old one. I think it is worth 800 Yuan.
2. **Wǒ bù zhīdào nǐ shuō de nà jiàn shì.**
   I don't know the matter you mentioned.
3. **Xīnjiāng shēngchǎn de shuǐguǒ hěn hǎo chī.**
   The fruit produced in Xinjiang are very nice.
4. **Huì shuō Hànyǔ de wàiguórén bù duō.**
   There are not many foreigners who can speak Chinese.
5. **Qù cānguān gōngchǎng de rén yǐjīng zǒu le.**
   Those who go to visit the factory have already left.
6. **Tā yào mǎi yí liàng xīn qìchē. Tā xiǎng mǎi Déguó zhìzào de.**
   He is going to buy a new car. He wants to buy one made in Germany.
7. **Tā sònggěi wǒ de bǐ shì jìnkǒu de.**
   The pen she gave me is imported.
8. **Nǐ xǐhuan huāshēng ma? Yào zhá de háishì zhǔ de?**
   Do you like peanuts? Do you want fried or boiled ones?
9. **Qǐng màn yìdiǎnr!**
   Slow down a little, please!
10. **Wǒmen duì zhè gè xiàngmù hěn gǎn xìngqù.**
    We are interested in this project.

Lesson 4

Dialogue

A: Zhè shì yì jiā yǒumíng de Zhōngcāntīng.

B: Lái zhèlǐ chīfàn de rén zhēn duō!

A: Wǒmen zài nǎr zuò?

Waitress: Xiānsheng, nín hǎo! Jǐ wèi?

A: Liǎng gè rén.

Waitress: Nàr yǒu yì zhāng xiǎo zhuōzi. Qǐng zuò nàr ba.

A: Hǎo de.

Waitress: Zhè shì càidān. Nín xiǎng hē shénme?

A: Wǒ yào yí gè zhāpí. Nǐ ne?

B: Yíyàng.

A: Qǐng nǐ diǎncài ba.

B: Nǐ suíbiàn diǎn jǐ gè cài jiù kěyǐ le.

A: Nǐ xǐhuan yóu zhá de ma? Zhádàxiā zěnmeyàng?

B: Kěyǐ. Wǒ xiǎng yào yí gè qīngzhēngyú hé yí gè qīngcài.

A: Hǎo de. Wèi! Xiǎojiě, Qǐng lái yíxiàr. Wǒmen yào yí gè zhádàxiā, yí gè qīngzhēngyú, yí gè hélándòu hé yí gè suān－làtāng. Hái yào liǎng wǎn mǐfàn.

Waitress: Nín hái yào bié de ma?

A: Bú yào bié de le. Jiù yào zhèxīe.

New Words

1	xīn	新	adv. /adj.	newly/new
2	wǎn	碗	n.	bowel
3	kàn	看	v.	think (followed by opinion or judgment)
4	zhí	值	v.	be worth
5	Xīnjiāng	新疆	n.	Xingjiang, name of a place
6	shēngchǎn	生产	v.	produce
7	shuǐguǒ	水果	n.	fruit
8	gōngchǎng	工厂	n.	factory
9	yǐjīng	已经	adv.	already
10	zhìzǎo	制造	v.	manufacture; make
11	sònggěi	送给	v.	give (someone something as a gift)
12	jìnkǒu	进口	v.	import
13	huāshēng	花生	n.	peanut
14	zhá/yóuzhá	炸/油炸	v.	deep fry
15	zhǔ	煮	v.	boil
16	xiàngmù	项目	n.	project
17	duì…gǎn xìngqù	对……感兴趣		be interested in . . .
18	yǒumíng	有名	adj.	famous
19	Zhōngcāntīng	中餐厅	n.	Chinese food restaurant
20	càidān	菜单	n.	menu
21	diǎn	点	v.	order (in the sense of select)
	diǎn cài	点菜		order dishes
22	suíbiàn	随便	adv. /adj.	casually; do as one pleases
23	dàxiā	大虾	n.	prawn
24	qīngzhēng	清蒸	n.	steam without soy sauce
25	yú	鱼	n.	fish

26	qīngcài	青菜	n.	vegetables; greens
27	hélándòu	荷兰豆	n.	snow peas
28	tāng	汤	n.	soup
29	suān-làtāng	酸辣汤	n.	sour and spicy soup
30	mǐfàn	米饭	n.	(cooked) rice
31	zhèxiē	这些	pron.	these

Word Study

1. yìdiǎnr: pron. /adj. a bit; a little

e. g: Nín yào táng ma?—— Wǒ yào yìdiǎnr.
Xiǎnzài wǒ yǒu yìdiǎnr shíjiān.
Wǒ zhǐnéng hē yìdiǎnr Máotái.
Qǐng kuài yìdiǎnr! (Faster, please!)
Wǒ yào piányi yìdiǎnr de. (I want something cheaper.)

2. shēng chǎn: v. /n. produce/production

e. g: Fǎguó Shēngchǎn de pútáojiǔ hěn yǒumíng.
Měiguó shēngchǎn hěnduō júzi.
Fútè gōngsī zài Zhōngguó shēngchǎn qìchē.
gōngyè shēngchǎn (industrial production)
nóngyè shēngchǎn (agriculture production)

3. zhìzào v. manufacture; make

e. g: Zhè shì Fútè gōngsī zhìzào/shēngchǎn de qìchē.
Zhōngguó zhìzào. (Made in China.)
Bié zhìzào máfan. (Don't make trouble.)

Exercises

1. Substitution Drills

(1) Zhè shì nǐ xīn mǎi de fángzi ma?
qìchē
dìtǎn

yīfu

shǒujī

(2) Wǒ bù zhīdào nǐ shuō de nà gè rén.

wèntí

gōngsī

shāngdiàn

páizi

(3) Chuān hēi dàyī de nà gè rén shì wǒmen lǎobǎn.

Chuān bái chènyī

Chuān hēi píxié

Dài lán lǐngdài

Dǎ diànhuà

(4) Nǐ mǎi de yīfu hěn piàoliang.

xiě de bàogào hǎo

zhuāng de diànnǎo ruǎnjiàn hǎo yòng

sòng gěi wǒ de cídiǎn hǎo yòng

sòng gěi tā de lǐwù guì

(5) Lái Běijīng lǚyóu de rén hěn duō.

Huì shuō Yīngyǔ

Qù Chángchéng

Xuéxī Hànyǔ

Zǎoshang duànliàn shēntǐ

(6) Wǒ dǎsuàn mǎi yí liàng qìchē.

Wǒ xǐhuan Déguō shēngchǎn de.

Měiguó

Rìběn

Yìdàlì

Zhōngguó

(7) Nǐ xǐhuan chī yóu zhá de hái shì zhǔ de?

shēng shóu

liáng rè

lǎo nèn

tián xián

(8) Nǐ suíbiàn diǎn jǐ gè cài ba.

zuò

chī

hē

yòng

(9) Wǒ yào piányi yìdiǎnr de.
guì
dà
xiǎo
yánsè shēn
yánsè qiǎn

(10) Wǒ duì Hànyǔ hěn gǎn xìngqù.
zhè gè xiàngmù hěn
Zhōngguó wénhuà hěn
lìshǐ hěn
tiàowǔ bù
zúqiú bù

2. Read aloud the word groups with "de" that can be taken as a noun. "an adj. / v. + de" indicates a certain kind of things.

hóng de	bái de	xīn de	jiù de
piányi de	guì de	gānjìng de	zāng de
là de	suān de	liáng de	rè de
lǎo de	nèn de	shēng de	shóu de
zhēng de	qīngzhēng de	zhǔ de	yóuzhá de
mǎi de	zū de	chī de	hē de
yòng de	jìnkǒu de		

3. Translate the following into Chinese.

(1) This is a new one.
(2) I like something salty.
(3) He wants something boiled.
(4) This is Mr. Zhang who works in IBM company.
(5) What you said is correct.
(6) The book you bought is very interesting.
(7) The man who wears a red tie is our general manager.
(8) We are not interested in that project.
(9) I am satisfied with your report.
(10) The place you go to is very far from big cities.
(11) I can speak a little Chinese.

(12) Do you want any milk? ——Yes, a little.

(13) It is a little bit cold today.

(14) I want something a little bit spicier.

(15) Do you have anything a little bit cheaper?

4. Translate the English in the brackets of " Sentences" into Chinese orally.

5. Write a short conversation imitating the "Dialogue".

Reference Words

1	dài	戴	v.	wear
2	lǐngdài	领带	n.	necktie
3	zhuāng	装	v.	load; install
4	hǎoyòng	好用	adj.	(say of using sth.)work well; be convenient to use
5	lǚyóu	旅游	v. /n.	tour; tourism
6	zhēng	蒸	v.	steam
7	shēng	生	adj.	raw; unripe; uncooked
8	shóu(shú)	熟	adj.	ripe; cooked
9	lǎo	老	adj.	old; overgrown; well – done; tough
10	nèn	嫩	adj.	tender
11	liáng	凉	adj.	cool; cold
12	wénhuà	文化	n.	culture

Appendix: Words related to Chinese Cuisine

1. ways of cooking:

1	zhēng	蒸	v.	steam
2	zhǔ	煮	v.	boil
3	zhá/yóu zhá	炸/油炸	v.	deep try

4	chǎo	炒	v.	stir – fry; sauté
5	dùn	炖	v.	stew
6	hóngshāo	红烧	v.	braise in soy sauce
7	shāo	烧	v.	stew after frying or fry after stewing
8	xūn	熏	v.	smoke
9	kǎo	烤	v.	roast
10	shāokǎo	烧烤	v.	grill
11	shuàn	涮	v.	instant – boil
12	liū	熘	v.	saut with thick gravy

2. Shapes of cutting:

1	kuàr	块	n.	cubes; lump
2	dīngr	丁	n.	small cubes
3	piànr	片	n.	slice
4	sī	丝	n.	threadlike
5	tiáor	条	n.	a long narrow piece; strip

3. Names of some Chinese food and dishes:

1	kǎoyā	烤鸭	n.	roast duck
2	jiǎozi	饺子	n.	dumplings (with meat and vegetable stuffing)
3	húntún	馄饨	n.	dumping soup; wontons
4	mántou	馒头	n.	steamed bun
5	bāozi	包子	n.	stuffed steamed bun
6	mǐfàn	米饭	n.	steamed rice
7	chǎofàn	炒饭	n.	fried rice
8	miàntiáor	面条	n.	noodles
9	chǎomiàn	炒面	n.	fried noodles
10	xīhóngshì – jīdàntāng	西红柿鸡蛋汤	n.	tomato and egg soup
11	zhádàxiā	炸大虾	n.	fried prawn
12	jiāoliūwánzi	焦熘丸子	n.	fried meat balls with thick gravy
13	mápódòufu	麻婆豆腐	n.	stir – fried beancurd in hot sauce
14	yúxiāngròusī	鱼香肉丝	n.	fish – flavored shredded pork

15	gōngbǎojīdīng	宫保鸡丁	n.	stir – fried diced chicken withpeanuts
16	tiěbǎnniúliǔ	铁板牛柳	n.	sizzling beef
17	xīqínbǎihé	西芹百合	n.	stir – fried celery with lily
18	ròusī chǎo suànmiáo	肉丝炒蒜苗		stir – fried garlic shoots with shredded pork
19	shāo qiézi	烧茄子	n.	fry – stewed eggplant
20	dòuyáròusī	豆芽肉丝	n.	stir – fried pork slivers with bean sprouts
21	qīngzhēng guìyú	清蒸鳜鱼	n.	steamed mandarin fish without soy – sauce
22	hóngshāo lǐyú	红烧鲤鱼	n.	braised carp in soy sauce
23	mùxūròu	苜蓿肉/木须肉	n.	stir – fried pork with egg and edible fungus
24	tángcùpáigǔ	糖醋排骨	n.	sweet and sour spareribs
25	xiāngsūjī	香酥鸡	n.	crisp fried chicken

Notes

verbal structure + de

"verbal structure + de" is used as an attributive to modify a noun. The verbal structure can be: "verb + object" or "subject + verb". They must be placed before the noun and linked by "de".

e. g: Xuéxi Hànyǔ de rén hěn duō.

(There are many foreigners learning Chinese.)

Zhè shì tā sònggěi wǒ de cídiàn.

(This is the dictionary she gave to me.)

Āyí zuò de fàn hěn hǎo chī.

(The meal that the house maid cooked is very tasty.)

LESSON 5

Sentences

1. **Zhè shì yòng shùmǎ – xiàngjī pāi de zhàopiàn.**
   This is a picture taken with a digital camera.
   Ràng wǒ kànkan/kàn yi kàn. Zhēn měi!
   Let me have a look. It's really beautiful!
2. **Yíhuìr, wǒ ràng sījī sòng nǐ huí jiā.**
   I will ask my driver to see you home later on.
3. **Wǒ bù xiǎng ràng biérén zhīdào zhè jiàn shì.**
   I don't want others knowing about this matter.
4. **Jǐngchá bú ràng wǒmen zǒu nà tiáo lù, suǒyǐ wǎn le.**
   The police do not allow us to take that road, so we are late.
5. **Qǐng ràngrang lù**
   /Qǐng ràng yi ràng lù.
   /Qǐng ràng yíxiàr (lù).
   Please get out of the way.
6. **Qǐng děngdeng.**
   /Qǐng děng yi děng.
   /Qǐng děng yíxiàr.
   /Qǐng děng yíhuìr.
   /Qǐng shāo děng.
   Wait for a while, please.
7. **Tāmen jiāng zài Zhōngguó tóuzī.**
   They will invest in China.

8 **Wǒ rènwéi Zhōngguó shì yí gè fēicháng dà de shìchǎng.**
I think that China is a huge market.

9 **Wǒ xiǎng, tāmen huì tóngyì wǒ de yìjiàn de.**
I think that they will agree with me.

10 **Wǒ juéde jiàgé tài gāo.**
I think that the price is too high.

11 **Jīntiān wǒ juéde hǎo yìdiǎnr le.**
I feel better today.

12 **Zhè gè zhōumò zánmen qù nǎr wánr?**
Where shall we go for fun this weekend?
Wǒ xiǎng qù gōngyuán zǒu yi zǒu, ránhòu qù yóuyǒng.
Nǐ juéde zěnmeyàng?
I would like to go to the park for a walk, then go to swimming. What do you think?

Dialogue

A: Wèile qìngzhù xīnnián, wǒmen gōngsī jiāng jǔxíng yí gè xīnnián wǎnhuì. Gōngsī lǐngdǎo pài wǒ lái yāoqǐng nín, zhè shì qǐngjiǎn.

B: Xièxie. Wǎnhuì ānpái zài nǎ tiān? Zài shénme dìfang?

A: Wǎnhuì dìng zài 12 yuè 30 rì, wǎngshang 6: 30 kāishǐ. Zài Běijīng Fàndiàn xīlóu.

B: Nǎxiē rén cānjiā?

A: Cānjiā wǎnhuì de rén hěn duō, yǒu de shì gōngsī dàibiǎo, yǒu de shì zhèngfù guānyuán. Xīwàng nín néng cānjiā.

B: Yǒu shíjiān, wǒ yídìng qù. Xièxie nǐ de yāoqǐng.

New Words

1	shùmǎ–xiàngjī	数码相机	n.	digital camera
2	pāi	拍	v.	take (a picture); shoot
3	zhàopiàn	照片	n.	picture; photo
4	ràng	让	v.	let; ask; allow
5	měi	美	adj.	beautiful
6	yíyuìr	一会儿	n.	a little while
7	sòng	送	v.	see somebody off; escort
8	jǐngchá	警察	n.	police
9	rànglù	让路	v.	give way; make way for sb.
10	shāo	稍	adv.	slightly
11	jiāng	将	adv.	will; shall
12	tóuzī	投资	v.	invest
13	shìchǎng	市场	n.	market
14	juéde	觉得	v.	feel
15	jiàgé	价格	n.	price
16	zánmen	咱们	pron.	we; us (including both the speaker and the person or persons spoken to)
17	gōngyuán	公园	n.	park
18	ránhòu	然后	conj.	then; afterwards
19	wèi(le)	为(了)	prep.	in order to; for; for the sake of
20	qìngzhù	庆祝	v.	celebrate
21	lǐngdǎo	领导	n.	leader
22	pài	派	v.	assign

23	yāoqǐng	邀请	v.	invite
24	qǐngjiǎn	请柬	n.	invitation
25	rì	日	n.	day
26	kāishǐ	开始	v.	begin
27	nǎxiē	哪些	pron.	which (pl.)
28	zhèngfǔ	政府	n.	government
29	guānyuán	官员	n.	official

Word Study

1. **chuān:** to wear

   e. g: **chuān yīfu, chuān dàyī, chuān kùzi, chuān xié, chuān wàzi**

2. **dài:** to wear

   e. g: **dài huār, dài jièzhi, dài (shǒu)biǎo**

3. **huàn:** to change, to exchange

   e. g: **Xié tài dà, wǒ xiǎng huàn yíxiàr.**
   Wǒ bù xǐhuan zhè zhǒng yánsè, qǐng huàn yíxiàr.
   Zhè gè bēizi bú tài gānjing, qǐng huàn yíxiàr.
   Nǐ yīnggāi huàn qìchē le.
   Wǒ xiǎng huàn yí gè fángjiān.
   Wǒ yào huàn 500 Měiyuán.

Exercises

1. Substitution Drills

(1) Zánmen zǒu ba.
huí jiā
chī fàn qù
xiūxi yíhuìr
zǒu zhè tiáo lù

(2) Ràng wǒ tīngting / tīng yi tīng .
kànkan kàn yi kàn
shìshi shì yi shì

zhǎozhao　zhǎo yi zhǎo
cāicai　cāi yi cāi

(3) Wǒ ràng mìshu xiě yí gè bàogào.
wǒ de zhùlǐ hé tā tán
fānyì péi nǐ qù
kuàijì qù yínháng qǔ qián
sījī qù fēijīchǎng jiē nǐ
āyí qù mǎi cài

(4) Zhèlǐ bú ràng tíng chē .
chōuyān
yòng shǒujī
pāi zhàopiàn
cānguān

(5) Yíhuìr, wǒ gěi nǐ dǎ diànhuà.
wǒ chūqu
wǒ qù dàshǐguǎn
tāmen lái bàngōngshì
zài tán
zài shuō

(6) Máojīn zāng le. Qǐng huàn yíxiàr.
Shuǐlóngtóu huài xiūlǐ yíxiàr
Diàndēng huài xiūlǐ yíxiàr
Xiàshuǐdào dǔ kàn yíxiàr
Lúntāi méi(yǒu) qì dǎ yíxiàr qì
Qìchē méi(yǒu) yóu jiā yíxiàr yóu

(7) Wǒmen jiāng jǔxíng yí gè yántǎohuì.
jǔxíng yí gè zhāodàihuì
cānjiā nǎ gè zhǎnlǎnhuì
cānjiā nà gè xiàngmù
zài Zhōngguó xībù tóuzī
hé Zhōngguó gōngsī hézuò

(8) Yántǎohuì shénme shíhou jǔxíng?
Zhǎnlǎnhuì jǐ yuè jǐ hào
Wǎnhuì nǎ tiān
Huìtán zài nǎr
Huìtán zài shénme dìfang

(9) Wǒ rènwéi wǒmen de hézuò huì chénggōng de.

zhè gè xiàngmù búcuò
zhè jiàn shì yīnggāi jiéshù le
zhè gè wèntí bù nán jiějué
wǒmen de huìtán hěn chénggōng

(10) Wǒ juéde yǒu yìdiǎnr bù shū fu.
hěn lèi
tóuténg
tā xǐhuan nǐ
zhè gè wèntí bù nán jiějué
wǒmen de huìtán hěn chénggōng

2. Translate the following into Chinese.

(1) Let me have a try.
(2) I asked him to tell you.
(3) The police do not allow us to leave.
(4) It is not allowed to park here.
(5) The boss asked me to take a business trip to Shanghai.
(6) Let's go.
(7) I think the market is good.
(8) She feels uncomfortable.
(9) I feel that it is too expensive.
(10) In order to celebrate her birthday, we will present her a birthday cake.

3. Give the duplicative way of the following verbs.

e. g: **ānpái** (arrange) – **ānpái ānpái**
děng (wait) – **děngdeng / děng yi děng**
liánxì (contact), **xiūxi** (rest), **xuéxí** (study),
yùndòng (do sports), **fānyì** (translate), **jièshào** (introduce)
xiūlǐ (repair), **qìngzhù** (celebrate)
chī(eat), **chuān**(wear), **jiē**(meet/pick up), **shì** (try),
sòng (see sb. off, escort), **kàn** (see; read; watch; look),
tīng (listen), **pǎo** (run), **zǒu** (walk), **cāi** (guess),
shuō (say; speak), **tán**(talk), **wánr** (play for fun),
yòng (use), **péi** (accompany), **xiě** (write),
zhǎo (look for), **tíng** (park; stop), **ràng** (give way; yield)

4. Make sentences with "ràng", "chuān", "dài" and "huàn" respectively.

5. Translate the English in the brackets of "✌ Sentences" into Chinese orally.

6. Write a short conversation imitating the "Dialogue".

Reference Words

1	kùzi	裤子	n.	trousers; pants
2	wàzi	袜子	n.	socks; stockings
3	jièzhi	戒指	n.	(finger) ring
4	shì	试	v.	try
5	zhǎo	找	v.	look for; try to find; give change
6	cāi	猜	v.	guess
7	kuàijì	会计	n.	accountant
8	tíng	停	v.	park; stop
9	máojīn	毛巾	n.	towel
10	shuǐlóngtóu	水龙头	n.	(water) tap; faucet
11	xiūlǐ	修理	v.	repair
12	xiàshuǐdào	下水道	n.	sewer
13	dǔ	堵	v.	get blocked; block up
14	dǎ(qì)	打(气)	v.	pump up; inflate
15	jiā	加	v.	add
	jiā yóu	加油	v.	refuel
16	xībù	西部	n.	western part
17	huìtán	会谈	v./n.	negotiate/negotiation
18	tóu	头	n.	head
19	téng	疼	adj./n.	painful/pain; ache

Notes

1. yíxiàr

Verbs denoting simple and brief actions can be used in a duplicative way or followed by **"yíxiàr"**. When a monosyllabic verb is repeated, **"yi"** can be put in between. All the above forms indicate that the action is brief and of short duration.

e. g: **Zhāng xiǎojiě, qǐng nǐ ānpái ānpái.**
Zhāng xiǎojiě, qǐng nǐ ānpái yíxiàr.
(Please make the arrangements, Miss Zhang.)
Qǐng děngdeng.
Qǐng děng yi děng.
Qǐng děng yíxiàr.
(Wait a moment, please.)

2. jiāng

"jiāng" placed before a verb indicates that something will happen in future.

e. g: **Wǒmen jiāng zài Zhōngguó xībù tóuzī.**
(We will invest in the western part of China.)
Wǒmen gōngsī jiāng zài Zhōngguó hězuò shēngchǎn qìchē.
(Our company will co-produce cars in China.)

LESSON 6

(Review)

1. Translate the following into Chinese.

(1) Can you speak Chinese?
(2) Are you good at cooking?
(3) The contract is on your desk.
(4) The second room from the left on the seventh floor is my office.
(5) She was a secretary before. Now she is a manager.
(6) He is ill. He will not come to the office.
(7) He is going to retire.
(8) I will ask my secretary to inform you.
(9) The police do not allow us to park there.
(10) Let me have a try.
(11) This is the dictionary she bought for me.
(12) I think you will surely succeed.

2. Translate the following into English.

(1) Yíhuìr, zǒngjīnglǐ lái wǒmen de bàngōngshì.
(2) Qǐng lái yíxiàr.
(3) Wǒ yào yìdiǎnr niúnǎi.
(4) Kàn qǐlái, tā yǒu yìdiǎnr bù shūfu.
(5) Míngtiān shàngwǔ wǒ yào cānjiā yí gè yántǎohuì.
(6) Nǐ huì kāi qìchē ma?
(7) Yǐhòu wǒ huì gàosù nǐ de.

(8) Wǒ mǎile jǐ běn Zhōngwénshū.
(9) Nǐ yǒu jǐ gè háizi?
(10) Wǒ shénme dōu chī. Nǐ suíbiàn diǎn jǐ gè cài ba.
(11) Tā tài xiǎoqi. Shéi dōu bù xǐhuan tā.
(12) Zhè gè zhōumò wǒmen nǎr yě bú qù, yīnwèi tiānqì bù hǎo.
(13) Nǐ xǐhuan nǎ gè cài?
Nǎ gè cài dōu hěn hǎo. Wǒ dōu xǐhuan.
(14) Tā bìng le, shénme dōu bù xiǎng chī.
(15) Wǒ shēntǐ hěn hǎo, shénme bìng yě méiyǒu.

3. Word Study

1. "yào" and "yào . . . le"

Both **"yào"**(when used as an auxiliary verb) and **"yào . . . le"** mean "be going to", indicating that something will happen soon. No negative forms are used in this sense. **"yào"** indicates a strong intention or a plan and often takes an adverbial adjunct of time. **"yào"** can only be used before a verb of action.

e. g: **Xià yuè tā yào qù Měiguó.**
(He is going to the United States next month.)
Wǎ yào xuéxí Hànyǔ. (I want to study Chinese.)

"yào . . . le" always indicates some new changes because of the **"le"**, and can not take an adverbial adjunct of time. **"yào"** in this structure can be used before a verb to do, a verb to have or an adjective which is used as a predicate.

e. g: **Yào xiàyǔ le.** (It's going to rain.)
Tā yào qù Měiguó le. (He is going to America.)
Wǒmen yào yǒu xīn bàngōngshì le.
(We are going to have a new office.)
Tiān yào qíng le. (The sky is going to clear up.)
Bìngrén kuài yào hǎo le. (The patient is going to recover soon.)

2. The negative forms of auxiliary verbs learned

(1) **kěyǐ** (may) – **bù kěyǐ** (can not)
(2) **néng** (can) – **bù néng** (can not)
(3) **huì** (can; be able to) – **búhuì** (can not; be not able to)
(4) **kěnéng** (possible; may be) – **bù kěnéng** (impossible)
(5) **yīnggāi** (should; ought to) – **bù yīnggāi** (should not)
(6) **xiǎng** (would like) – **bù xiǎng** (do not want)

(7) **yào** (be going to; want) – **bù yào** (do not want)

(8) **bìxū** (must) – **búyòng / búbì**(no need)

Note: "**Búyào**" is only used in an imperative sentence, meaning "Don't".

e. g: **Qǐng búyào/bié chōuyān.** (Don't smoke, please.)

4. *Make sentences with each of the above mentioned verbs in their negative forms.*

5. *Choose the correct words in brackets to complete the following sentences.*

(1) Jīntiān tā_____yí jiàn bái chènyī, ____yì tiáo hóng lǐngdài. (dài, chuān)

(2) Xié tài dà, wǒ xiàng_______yíxiàr. (huàn, chuān)

(3) Wǒ_______wǔ gè rén de fàn. (dìng, shū)

(4) Zhǎnlǎnhuì zài nǎr jǔxíng?_____le ma? (xiūlǐ, dìng)

(5) Zhè jiàn yīfu de yánsè bù hǎo, nǐ hái yǒu______ma? (bié, bié de)

(6) Zhè tái diànnǎo tài màn, zuìhǎo_____yòng tā shàngwǎng. (bié, bié de)

(7) Wǒ yào qù yínháng______500 Měiyuán. (huàn, zhǎo)

(8) Déguó______de qìchē hěn yǒumíng. (zhìzào, zuò)

(9) Běijīng______de xīguā hěn hǎo chī. (zhìzào, shēngchǎn)

(10) ______, wǒ yào qù fēijīchǎng. (yíxiàr, yíhuìr)

6. *Read "✌ Sentences" in Lesson Four, then join the two parts of each line in a correct way.*

(1) zhè shì yīfu, wǒ xīn mǎi de

(2) nà wèi xiǎojie zhēn piàoliang, chuān bái yīfu de

(3) wǒ yào qù jiē péngyou, cóng Fǎguó lái Zhōngguó de

(4) qìchē búcuò, Zhōngguó shēngchǎn de

(5) wǒ bú shì nà gè rén, zuótiān wǎnshang gěi nǐ dǎ diànhuà de

(6) nà gè shūdiàn méiyǒu shū, nǐ yào de

(7) zhè zhī bǐ hěn hǎo yòng, nǐ sòng gěi wǒ de

(8) wàiguórén bú tài duō, huì shuō Hànyǔ de

7. Read the short dialogue and put them into English.

A: (chūzū qìchē sījī): Nín hǎo! Nǐn qù nǎr?

B: Wǒ qù Sìchuān cāntīng.

A: Nín rènshi lù (rènshi lù: know the way) ma?

B: Wǒ rènshi lù. Wǒ gàosù nǐ zěnme zǒu. Yìzhí wǎng běi.
Dào hónglǜdēng wǎng zuǒ guǎi.

A: Wǎng zuǒ ma?

B: Shì de. Zài qiánbian de shāngdiàn tíng yíxiàr. Wǒ mǎi yìdiǎnr dōngxi.
Qǐng děng yíxiàr wǒ.

A: Bié zháojí, wǒ yídìng děng nín.

B: Zánmen zǒu ba. Qiánbian shì lìjiāoqiáo, wǎng yòu guǎi.
ránhòu yìzhí zǒu jiù dào le.

A: Shì nà gè cāntīng ma?

B: Duì. Dào le. Duōshao qián?

A: 12 Kuài. Yào fāpiào (fāpiào: invoice) ma?

B: Bú yào, gěi nǐ qián.

A: Xièxie, nín màn zǒu.

8. Words review.

(1) Write some words about Chinese cuisine.

(2) Write some words about weather.

(3) Write some words about locality.

9. Make short dialogues on these topics.

(1) At a Chinese restaurant

(2) The location of the surrounding buildings

(3) Asking the way to the railway station (huǒchēzhàn)

LESSON 7

Sentences

1. **Wǒ xuéle hěn duō shēngcí.**
   I have learned many new words.
2. **Wèile gōngsī de fāzhǎn, tā zuòle bùshǎo gōngzuò.**
   He has done a lot for the development of the company.
3. **Wǒ yǐjīng chīle wǎnfàn le.**
   I have had my dinner.
4. **Tā fācái le. Tā mǎile yí liàng xīn qìchē, yòu mǎile yí tào fángzi.**
   He made a fortune. He bought a new car and a flat.
5. **Tā fāle chuánzhēn jiù huíjiā le.**
   After she had sent out a fax she went home.
6. **Wǒ dàole nàlǐ jiù gěi nǐ dǎ diànhuà.**
   When I arrive there I will call you immediately.)
7. **Zhè xīngqītiān wǒmen qù yěcān. Wǒmen dǎsuàn chīle zǎofàn jiù chūfā.**
   We will have a picnic next Sunday. We plan to set out right after breakfast.
8. **Zǎoshang tā dàole Běijīng jiù qù bàngōngshì le. Xiànzài tā shì wǒmen gōngsī de CEO le, fēicháng máng.**
   He arrived in Beijing this morning and went to the office immediately.
   Now he is the chief executive officer of our company. He is very busy.)
9. **Yīnwèi wǒ shēntǐ bú tài hǎo, suǒyǐ méi cānjiā yànhuì. qǐng duō bāohán.**
   I did not attend the banquet because I didn't feel well. Excuse me for that.
10. **Suīrán wǒ bù zhīchí zhè gè jìhuà, dànshì yě bù fǎnduì.**
    Although I am not in favor of this plan, I have no objection to it.

 7

General expressions

Zhùhè (Congratulation)
Zhùhè nín! (Congratulations!)
Zhù nǐ shēngrì kuàilè! (Happy birthday!)
Gōngxǐ gōngxǐ! (Congratulations!)
Gōngxǐ fācái! (Congratulations and may you be prosperous!
a Spring Festival greeting)

Dialogue

Zài Yīyuàn

Dàifu: Nín nǎr bù shūfu?
Bìngrén: Wǒ yǒu yìdiǎnr tóu téng.

Dàifu: Fāshāo ma?

Bìngrén: Wǒ gāng shìle biǎo, 37. 8 dù. (sānshí qī dù bā)

Dàifu: Fāshāo jǐtiān le?

Bìngrén: Zuótiān wǎnshang wǒ kāishǐ juéde bù shūfu, chīle yìdiǎnr bǐnggān jiù shuìjiào le.

Dàifu: Wǒ kànkan nín de sǎngzi, hǎo ma?
Sǎngzi hěn hóng. Ràng wǒ tīngting xīnzàng.

Bìngrén: Wǒ de xuèyā yǒushíhou gāo.

Dāifu: Xīnzàng méi wèntí. Jīntiān nín de xuèyā yě hěn zhèngcháng.
Nín gǎnmào le.

Bìngrén: Xūyào dǎzhen ma?

Dàifu: Duì, zhè shì chǔfāng. Nín jiāole fèi jiù qù dǎzhēn.
Ránhòu chī yìdiǎnr yào jiù huì hǎo de. Duō hē shuǐ, shǎo chīròu.

Bìngrén: Hǎo de.

Dàifu: Suīrán gǎnmào bú shì dà bìng, dànshì kěnéng yǐnqǐ biéde bìng.

Bìngrén: Míngbai le, xièxie.

New Words

1	shēngcí	生词	n.	new words
2	fāzhǎn	发展	n.	development
3	fācái	发财	v.	get rich; make a fortune
4	yòu	又	adv.	also; in addition
5	tào	套	measure word	set (for rooms, furniture, books, etc.)
6	fángzi	房子	n.	house; flat
7	jiù	就	conj.	immediately; then (used to connect two actions)
8	yěcān	野餐	n.	picnic
9	dǎsuan	打算	v.	intend; plan
10	chūfā	出发	v.	set out; start off
11	bāohán	包涵	v.	excuse; forgive
12	suīrán…dànshì…	虽然……但是……		although; though ... (but) ...
13	zhīchí	支持	v.	support

No.	Pinyin	Chinese	Part of speech	English
14	fǎnduì	反对	v.	oppose
15	zhùhè	祝贺	v.	congratulate
16	kuàilè	快乐	adj.	happy
17	gōngxǐ	恭喜	v.	congratulate (a polite formula)
18	bìngrén	病人	n.	patient
19	yīyuàn	医院	n.	hospital
20	tóu	头	n.	head
21	téng	疼	adj.	be sore; ache
22	fāshāo	发烧	v.	have a fever
23	gāng	刚	adv.	just; only a short while ago
24	shìbiǎo	试表	v.	take somebody's temperature
25	sǎngzi	嗓子	n.	throat
26	xīnzàng	心脏	n.	heart
27	xuèyā	血压	n.	blood pressure
28	yǒushíhou	有时候	adv.	sometimes
29	zhèngcháng	正常	adj.	normal
30	gǎnmào	感冒	v. /n.	catch cold/common cold
31	xūyào	需要	v.	need
32	dǎzhēn	打针	v.	have/give an injection
33	chǔfāng	处方	n.	prescription
34	jiāofèi	交费	v.	hand over the payment; pay
35	yǐnqǐ	引起	v.	cause

Word Study

1. **yìsi**: meaning, a token of affection

   e. g: **Zhè gè cí shénme yìsi?**

   Wǒ bù dǒng nǐ de yìsi.

   Zhè shì sòng gěi nín de lǐwù, yìdiǎnr xiǎo yìsi.

   Tā yào huí guó le. Wǒmen sònggěi tā yì běn shū yìsi yìsi.

2. **yǒu yìsi**: interesting, funny

   e. g: **Zhè běn shū hěn yǒu yìsi.**

   Wǒ de gōngzuò méiyǒu yìsi.

Nà gè rén hěn yǒu yìsi.

Idioms and expressions

1. **mǎdàhā:**
   Tā shì yí gè mǎdàhā.
   Wǒ bù xǐhuan hé tā yìqǐ gōngzuò, yīnwèi tā tài mǎdàhā le.
2. **qìguǎnryán:**
   Tā zài jiā shì "qìguǎnryán".
   Nǐ yǒu "qìguǎnryán"ma?

Exercises

1. Substitution Drills

(1) Nǐ kě ma? ——Wǒ bù kě le. Wǒ yǐjīng hēle sān bēi shuǐ le.

fāshāo	fāshāo	dǎle zhēn
tóuténg	tóuténg	chīle yào
è	bú è	chīle yí gè miànbāo
kùn	kùn	shuìle liǎng gè xiǎoshí

(2) Zuìjìn wǒ mǎile yí liàng xīn qìchē.

tīng	yí gè yīnyuèhuì
kàn	yí gè Zhōngguó diànyǐng
xué	hěnduō xīncí
cānguān	lìshǐ bówùguǎn

(3) Zuótiān wǎnshang wǒ xiàle bān jiù huí jiā le.

xiàle bān	qù tiàowǔ
chīle fàn	shuìjiào
fāle E－māi	zǒu
xǐle zǎo	shuìjiào

(4) Míngtiān wǎnshang wǒ xiàle bān jiù huí jiā.

chīle fàn	qù fēijīchǎng
chīle fàn	xuéxí Hànyǔ
dàole nàr	hé tā liánxì

(5) Nǐ nǎr bù shūfu? ——Wǒ yǒu yìdiǎnr tóuténg.

sǎngzi téng
dùzi téng
fāshāo
késou

(6) Wèile zhùhè tā de shēngrì, wǒmen sònggěi tā yí gè dàngāo.
qìngzhù Xīnnián, wǒmen jiāng jǔxíng yí gè zhāodàihuì
huānyíng zǒngjīnglǐ, wǒmen jiāng jǔxíng yí gè wānhuì
xuéxí Hànyǔ, wǒ měitiān 8: 00 lái bàngōngshì shàngkè
dàjiā de shēntǐ jiànkāng, gānbēi!

(7) Yīnwèi shēntǐ bù hǎo, suǒyǐ wǒ bùnéng yóuyǒng.
búhuì Yīngyǔ wǒ bù dǒng tā de huà
tiānqì bù hǎo wómen méi qù yěcān
wǒ tài máng méi qù kàn nǐ
tài guìle wǒ méi mǎi
bù xiǎng máfan nǐ wǒ méi gàosù nǐ zhè jiàn shì

(8) Suīrán wǒ de Hànyǔ bù hǎo, dànshì wǒ dǒng tā de yìsi.
tá bù hěn piàoliang rén hěn hǎo
tā de píqi bú tài hǎo rén bú huài
gōngzuò hěn lèi hěn yǒu yìsi
tā hěn yǒuqiǎn méiyǒu zhīxīn péngyou

(9) Wǒ xūyào cháng chūchāi.
qù Shànghǎi kāi huì
dǎyìn zhè fèn(r) wénjiàn
fùyìn zhè fèn(r) wénjiàn
nǐ de bāngzhù
nǐmen de hézuò
yì tái xīn diànnǎo

(10) Yǒushíhou wǒ de xuèyā bú zhèngcháng.
wǒ juéde hěn lèi
gōngzuò bú shùnlì
wǒ de diànnǎo chū wèntí
wǒ zìjǐ zuò fàn
wǒ hé péngyou yìqǐ qù yěcān

2. Explain the meaning of "jiù" in the following sentences.

(1) Tā jiù shì zǒngjīnglǐ xiānsheng.

(2) Qǐng shāo děng, wǒ mǎshàng jiù lái.
(3) Tā jiù yào jiéhūn le.
(4) Zhè jiù shì wǒ yào de shū.
(5) Wǒmen jiéle zhàng jiù qù fēijīchǎng le.
(6) Nǐ tóngyì tāmen de jiàgé ma?
Wǒ kàn, jiù zhèyàng ba.
(7) Měitiān, tā xiàle bān jiù qù jiànshènfáng.
(8) Wǒ jiùyào zhèxiè, bú yào bié de le.

3. *Some verbs are composed of two parts: verb + object, so they can be split and may have "le" in between indicating the completion of the action. Read the following aloud and make sentences with the phrases with "le".*

e. g: shìbiǎo (take one's temperature) – shì le biǎo
Zhè gè háizi shìle biǎole ma?
Zhè gè háizi shìle biǎo jiù chūqù le.
chīyào (take medicine) – chīle yào
dǎzhēn (have an injection) – dǎle zhēn
diǎncài (order dishes) – diǎnle cài
dǎqì (pump up a tyre) – dǎle qì
dǎ diànhuà (make a telephone call) – dǎle diànhuà
shàngkè (attend class) – shàngle kè
xiàbān (finish work) – xiàle bān
chīfàn (eat a meal) – chīle fàn
jiāofèi (make the payment) – jiāole fèi
fùkuǎn (pay the money) – fùle kuǎn
jiézhàng (settle the account) – jiéle zhàng
xǐzǎo (take a both) – xǐle zǎo

4. *Translation*

(1) In the evening, sometimes I watch TV, sometimes I do some reading.
(2) Sometimes I can not understand his English.
(3) I need a holiday.
(4) My computer is broken.
(5) Today I have drunk three cups of coffee.

(6) We bought two cars.

(7) Although he is a foreigner, his Chinese is excellent.

(8) Although we are very tired, we are very happy.

(9) Because I haven't got the visa, I can not go to America next week.

(10) She was a secretary before. Because she works hard, now she is a manager.

5. Translate the English in the brackets of "✌ Sentences" into Chinese orally.

6. Write a short conversation imitating the "Dialogue".

Reference Words

1	yìsi	意思	n.	meaning; a token of affection
2	mǎdàhā	马大哈	n. /adj.	a careless person, careless
3	qìguǎnryán	气管炎	n.	tracheitis; henpecked husband
4	è	饿	adj.	hungry
5	kùn	困	adj.	sleepy
6	xǐzǎo	洗澡	v.	take a both
7	dùzi	肚子	n.	belly; abdomen
8	késou	咳嗽	v.	cough
9	huānyíng	欢迎	v.	welcome
10	píqi	脾气	n.	temperament; temper
11	zhīxīn	知心	adj.	intimate
12	dǎyìn	打印	v.	print
13	bāngzhù	帮助	n. /v.	help
14	chū wèntí	出问题		go wrong; go amiss

Notes

1. The usage of "**le**"

(1) When "**le**" is used right after a verb denoting an action, it indicates the

completion of the action.

e. g: **Wǒ cānguānle nà gè bówùguǎn.**

(I visited that museum.)

Wǒ fāle chuánzhēn jiù huíjiā.

(I will go home after sending out the fax.)

(2) When **"le"** is used at the end of a sentence with a verbal predicate denoting an action, it can indicate the occurrence of an action and giving an affirmative tone.

e. g: **Zuótiān wǒ qù Chángchéngle.**

(I went to the Great Wall yesterday.)

Tā geǐ wǒ dǎ diànhuà le.

(He called me.)

(3) When **"le"** is used at the end of a sentence, it can indicate a change of situation or state. The **"le"** in **"yào . . . le"** has the same function.

e. g: Tā pàng le. (He's got fat.)

Tā búshì wómen lǎobǎn le. (He is no longer our boss.)

Tā yǒu háizi le. (She's got a baby. / She is pregnant.)

Wǒ bú zài nà jiā gōngsī gōngzuò le.

(I do not work for that company any longer.)

Yào xiàyǔ le. (It's going to rain.)

Tā kuàiyào hǎo le. (He is going to recover soon.)

Hétong yào qiān le. (The contract will be signed soon.)

(4) Points meriting attention concerning the use of **"le"**

a. When indicating the completion or occurrence of an action, **"le"** can only be applied to a sentence with a verbal predicate denoting an aion. **"le"** should not be applied to a sentence with a verbal predicate of **"zài, shì or yǒu"** nor with a adjective as predicate.

e. g:

Correct: **Shàng xīngqī wǒ zài Fǎguó. (I was in France last week.)**

Wrong: Shàng xīngqī wǒ zài Fǎguó le.

Correct: **Yǐqián tā shì lǎoshī. (He was a teacher before.)**

Wrong: Yǐ qián tā shì lǎoshī le.

Correct: **Nàshíhou wǒ yǒu hěnduō shíjiān. (At that time I had a lot of time.)**

Wrong: Nàshíhou wǒ yǒu hěnduō shíjiān le.

Correct: **Zuótiān hěn rè. (Yesterday was hot.)**

Wrong: Zuótiān hěn rè le.

b. If the past action is a frequent one, no **"le"** should be used.

e. g:

Correct: **Yǐqián wǒ cháng lái zhèlǐ.** (I often came here in the past.)

Wrong: Yǐqián wǒ chánglái zhèlǐ le.

c. If the object has a modifier indicating quantity, **"le"** should be placed after the verb, or else at the end.

e. g: **Wǒ mǎile běn shū.** (I bought books.)

Wǒ mǎile yìxiē shū. (I bought some books.)

Wǒ mǎile hěnduō shū. (I bought many books.)

Wó mǎi shū le. (I bought books.)

2. jiù

"jiù" can be used as a conj. to connect two actions. After the first action is completed the second takes place immediately. Here, **"jìu"** means immediately, then.

e. g: **Tā chīle fàn jiù shuìjiào le.**

(After dinner he went to bed immediately.)

Wǒ dàole nàlǐ jiù gěi nǐ dǎ diànhuà.

(When I arrive there I will call you immediately.)

LESSON 8

Sentences

1. wàibian zhèngzài xiàyǔ ne, nǐ chūqu de shíhou, zuìhǎo dài yì bǎ sǎn.
It is raining outside. You'd better take an umbrella when going out.

2. Tāmen zhèngzài kāihuì ne. / Tā men zhèngzài kāihuì.
/Tāmen kāihuì ne. Wǒmen méi kāihuì.
They are having a meeting. We are not having a meeting.

3. Nǐ xiànzài zuò shénme ne?
What are you doing now?
——Wǒ zhèngzài xuéxí Hànyǔ.
I am studying Chinese.
Tāmen yě zhèngzài xuéxí ma?
Are they studying, too?
——Bù, tāmen méi xuéxí. Tāmen xiūxī ne.
No, they are not studying. They are having a rest.

4. Nǐ bànlǐ jūliúzhèngle ma?
Have you obtained the residence permit?
——Hái méi ne. Wǒ zhèngzài bànlǐ.
Not yet. I'm going through the procedure.

5. Zuótiān zhè shíhou, nǐ zhèngzài zuò shénme ne?
What were you doing this time yesterday?
——Wǒ zhèngzài shuìjiào.
I was sleeping.

6 **Wǒ xiānqù Yīngguó, ránhòu qù Fǎguó, zuìhòu qù Déguó.**
I' ll go to Britain first, then going to France and finally Germany.

7 **Ràng wǒ xiān jièshào yíxiàr, zhè wèi shì Zhāng xiǎojiě.**
Let me make an introduction first. This is Miss Zhang.

8 **Qùnián Shíyuè, wǒ dì yī cì lái Zhōngguó.**
Last October I came to China for the first time.

9 **Zhè shì Běijīng zuì yǒumíng de cāntīng zhī yī.**
This is one of the most famous restaurants in Beijing.

10 **Wǒmen gōngsī shì zuì zǎo hé Zhōngguó zuò shēngyi de wàiguó gōngsī zhī yī.**
Ours is among the earliest foreign companies that set up business ties with China.

General expressions

Gǎnxiè (Gratitude)

Xièxie. (Thank you.)
Duō xiè. (Thanks a lot.)
Fēicháng gǎnxiè. (Thank you very much.)
Nín tài hǎo le. (It' s very kind of you.)
Nín tài kèqi le. (You are being too polite.)
Xièxie nín de bāngzhù. (Thank you for your help.)
Xièxie nín de yāoqǐng. (Thank you for your invitation.)
Xièxie nín de rèqíng zhāodài. (Thank you for your kind hospitality.)

Dialogue

A: Nǐmen zuìjìn máng ma?
B: Zuìjìn hěn máng.
A: Máng shénme ne?
B: Wǒmen zhèngzài máng yí gè zhǎnlǎnhuì. Wǒmen gōngsī jiāng cānjiā yí gè qìchē zhǎnlǎn(huì). Xiànzài zhèngzài zuò zhǔnbèi.
A: Fā yāoqǐngxìnle ma?
B: Wǒ de mìshu zhèngzài xiě, hái méi fā ne.
A: Wǒ duì qìchē hěn gǎn xìngqù. Wǒ kěyǐ cānguān nà gè zhǎnlǎn(huì)ma?

B: Dāng rán, huānyíng nín cānguān. Yíhuìr, wǒ ràng mìshu gěi nín piào.
Kěyǐ shuō, nín shì wǒmen yāoqǐng de dì yī gè rén.

A: Xièxie. Nǐmen gōngsī zài Zhōngguó tóuzīle ma?

B: Wǒmen zhèngzài kǎolǜ zhè gè wèntí. yǒu kěnéng jiànlì yí gè hézī qǐyè. Nín shì lǜshī, yǐhòu wǒmen huì xūyào nín de bāngzhù de.

A: Nín tài kèqi le.

New Words

1	zhèngzài(…ne)	正在(……呢)	adv.	in process of
2	…de shíhou	……的时候		at the time of; when
3	dài	带	v.	take; bring
4	kāihuì	开会	v.	attend/hold a meeting
5	bànlǐ	办理	v.	handle
6	jūliúzhèng	居留证	n.	residence permit
7	xiān	先	adv.	first

8	zuìhòu	最后	n.	finally
9	jièshào	介绍	v.	introduce
10	cì	次	measure word (for actions) time	
11	…zhī yī	……之一		one of
12	zǎo	早	adj.	early
13	shēngyì	生意	n.	business
14	gǎnxiè	感谢	v.	thank
15	kèqi	客气	adj.	polite; courteous
16	bāngzhù	帮助	n. /v.	help
17	rèqíng	热情	adj.	warm
18	zhāodài	招待	v.	receive (guests)
19	zuìjìn	最近	n.	recently
20	zhǔnbèi	准备	n. /v.	preparation; prepare
21	xiě	写	v.	write
22	dāngrán	当然	adv.	of course
23	huānyíng	欢迎	v.	welcome
24	kǎolǜ	考虑	v.	think over
25	jiànlì	建立	v.	set up; establish
26	hézī qǐyè	合资企业		joint venture
27	lǜshī	律师	n.	lawyer

Word Study

1. kèqi: polite; courteous

e. g: **Tā zǒngshì fēicháng kèqi.**

búkèqi: You are welcome. Not at all. (a response to thanks)

e. g: **Xièxie! ——Búkèqi.**

bié/búyào kèqi: (said to a guest) try to make your self at home

e. g: **Qǐng suíbiàn chī, bié kèqi.**

bié/búyào kèqi: (said to a host) don't bother

e. g: **Nín xiǎng hē kāfēi háishì chá?**

—— Wǒ shénme dōu bú yào. Biékèqi.

tài kèqi: being too polite/modest

e. g: Xièxie nín de lǐwù. Nín tài kèqi le.

Yǐhòu qǐng duō zhǐjiào. ——Nín tài kèqi le.

2. **guānxi:** relations; connections; relationship

e. g: Wǒmen hé tāmen gōngsī yǒu yèwù guānxi.

Tā hé nà jiàn shì méiyǒu guānxi.

Wǒmen de guānxi hěn hǎo.

Guānxi hěn yǒuyòng.

Duìbuqǐ. ——Méiguānxi.

Idioms and expressions

Guòle zhè gè cūn, mǐyǒu zhè gè diàn.

e. g: Zhè shì fēicháng hǎo de jīhuì, "Guò le zhè gè cūn, méiyǒu zhè gè diàn".

Exercises

1. Substitution Drills

(1) Nǐ xiànzài zuò shénme ne?

——Wǒ zhèngzài xuéxí Hànyǔ.

xiě bàogào

kāihuì

chīfàn

zhǔnbeì zhǎnlǎn(huì)

(2) Wǒ zhèngzài bànlǐ qiānzhèng.

jūliúzhèng

hǎiguān shǒuxù

tuìxiū shǒuxù

jiéhūn dēngjì shǒuxù

(3) Wàibian zài xiàyǔ ma?

——Wàibian méi xiàyǔ, xiàxuě ne.

xiàwù

guāfēng

(4) Wǒmen zhéngzài kǎolǜ zhè gè wèntí.
jiànlì hézī qǐyè de wèntí
zài Shànghǎi tóuzī de wèntí
hé Zhōngguó gōngsī hézuò
qù wàiguó cānguān
qù Hǎinán xiūjià

(5) Wǒ xiān qù hǎiguān, ránhòu qù fēijīchǎng.
qù yínháng huí bàngōngshì
qù yīyuàn huí jiā
qù Guǎngzhōu qù Xiānggǎng
hē píjiǔ hē báijiǔ

(6) Zhè shì wǒ dì yī cì lái Běijīng.
èr lái Zhōngguó
sān qù Chángchéng
yī chī kǎoyā
yī jiàndào tā

(7) Zánmen xiān qù yínháng ba.
qù qǔ fēijīpiào
qù jiē kèrén
huíjiā
chīfàn

(8) Zhè shì Běijīng zuì hǎo de fàndiàn zhī yī.
yǒumíng cāntīng
dà gōngyuán
kuān mǎlù
lǎo hútòng

2. *Translate the following sentences into Chinese first, then add "zhīyī" to them.*

(1) Tā shì wǒ zuì hǎo de péngyou.
(2) Zhè shì wǒ zuì xǐhuan de cài.
(3) Wómen gōngsī shì shìjiè shang zuì dà de gōngsī.
(4) Yóuyǒng shì wǒ bǐjiào xǐhuan de yùndòng.
(5) Nǐ shì wǒ rènshi de huì shuō Hànyǔ de wàiguórén.

3. Translation

(1) Let me make an introduction first. This is Mr. Wang, the general manager.
(2) Let's drink some beer first.
(3) At the second traffic light, turn to the left.
(4) This is the first time I came to China.
(5) I go to the airport first, then to the bank, finally return to the office.
(6) The tennis competition ended. The first place is our team.
(7) This is the fifth cup of spirit you drank. Don't drink any more!
(8) He is making a telephone call.
(9) What are you doing now?
(10) I am studying Chinese.
(11) They are not having a meeting.
(12) This is one of my favorite dishes.

4. Translate the English in the brackets of "✌Sentences" into Chinese orally.

5. Write a short passage based on the "Dialogue".

Reference Words

1	guò	过	v.	pass; cross
2	cūn	村	n.	village
3	diàn	店	n.	inn
4	Guòle zhè gè cūn, méiyǒu zhè gè diàn.			
	过了这个村,没有这个店。			Don't miss the only opportunity.
5	jīhuì	机会	n.	opportunity
6	zhǐjiào	指教	v.	give advice (a polite formula)
7	yèwù	业务	n.	vocational work; business
8	yǒuyòng	有用	adj.	useful
9	shǒuxù	手续	n.	formalities
	bànlǐ shǒuxù	办理手续		go through formalities
10	dēngjì	登记	n.	registration
11	hútòng	胡同	n.	lane; alley

zhèngzài. . . ne

"**zhèngzài . . . ne**" denotes that an action is in progress. "**zhèngzài**" should be placed before the verb, while "**ne**" put at the end of a sentence.

The negative form is "**méi(yǒu)** + verb" without "**zhèngzài . . . ne**".

e. g: **Tā zhèngzài kàn Zhōngguó Rìbào ne.**

(He is reading China Daily.)

Tā méi kàn Zhōngguó Rìbào.

(He is not reading China Daily.)

Wǒmen zhèngzài chīfàn ne. (We are eating.)

Wǒmen méi chīfàn. (We are not eating.)

Instead of "**zhèng zài . . . ne**", either "**zhèng zài**" or "**ne**" can be used in the same way.

e. g: **Tā zhèngzài kàn Zhōngguó Rìbào.**

Tā kàn Zhōngguó Rìbào ne.

LESSON 9

Sentences

1. **Mén kāizhe, dēng guānzhe, tā yídìng wàngle suǒmén le.**
   The door is open and the lights are off. He must have forgot to lock the door.
2. **Qiáng shang guàzhe yì zhāng shìjiè dìtú.**
   There is a map of the world hanging on the wall.
3. **Zhuōzi shang méi fàngzhe huār, fàngzhe jǐ běn shū.**
   There are no flowers on the desk, but several books.
4. **Diànshì kāizhe ma?/Diànshì kāizhe méiyou?**
   Is the TV on?

   ——Diànshì méi kāizhe.
   The TV is not on.
5. **Tā shǒuli názhe shénme?**
   What is he holding in his hand?

   ——Tā shǒuli názhe yí shù huār.
   He is holding a bunch of flowers.
6. **Páizi shang xiězhe: "Qǐng wù xīyān."**
   It is written on the signboard: "No smoking, please."
7. **Chī zìzhùcān de shíhou, wǒmen zhànzhe chī fàn.**
   At the buffet, we stood as we ate.
8. **Tiānqì yuèlái yuè nuǎnhuo le. Lǚyóu de rén yě yuèlái yuè duō le.**
   The weather is getting warmer and warmer. There are also more and more tourists.
9. **Yuè kuài yuè hǎo.**

The sooner the better.

10 **Zhuōzi shang yǒu yì běn cídiǎn.**

There is a dictionary on the desk.

General expressions

Shīwàng (Disappointment)

Wǒ hěn shīwàng. (I feel disappointed.)

Nǐ bù néng lái, wǒ hěn yíhàn. (I am sorry that you can not come.)

Duì nǐ de huà, wǒ biǎoshì yíhàn. (I'd like to express my regret for your remarks.)

Zhēn kěxī! (What a pity!)

Zhēn dǎoméi! (What a bad luck!)

Short passage

Wǒ de fángjiān

Wǒ de fángjiān bú tài dà, dànshì hěn gānjìng.

Fángjiān li yǒu liǎng gè shūguì. Shūguì li yǒu hěnduō shū, yǒu de shì Zhōngwén shū, yǒu de shì Yīngwén shū, háiyóu jǐ jiàn xiǎo bǎishè.

Wǒ de zhuōzi zài zhōngjiān. Zhuōzi shang fàngzhe diànnǎo hé diànhuà. Pángbiān shì yí gè guìzi, guìzi shang fàngzhe dǎyìnjī hé yìxiē zhǐ, guìzi li yǒu gōngsī de wénjiàn.

Qiáng shang guàzhe yì zhāng Zhōngguó dìtú hé yì zhāng Shìjiè dìtú.

Chuānghu zài dōngbian. Chuānghu pángbiān shì shāfā. Shāfā de qiánbian yǒu yí gè chájī. Chājī shang fàngzhe yìxiē huār.

Wǒ de gōngzuò hěn máng yě hěn yǒu yìsi. Wǒ měitiān zài zhèr gōngzuò zuì shǎo bā(gè) xiǎoshí. Wǒ xǐhuan wǒ de bàngōngshì.

New Words

1	mén	门	n.	door
2	dēng	灯	n.	lights
3	kāi	开	v.	turn on; open
4	guān	关	v.	turn off; close
5	zhe	着		a particle (used after a verb to indicate the continuation of a state)
6	wàng	忘	v.	forget
7	suǒ	锁	v. /n.	lock
8	qiáng	墙	n.	wall
9	guà	挂	v.	hang
10	shìjiè	世界	n.	the world
11	dìtú	地图	n.	map
12	fàng	放	v.	put
13	shǒu	手	n.	hand
14	lǐ	里	n.	in (used after a noun, indicating the inside of an object)
15	ná	拿	v.	hold; take
16	shù	束		a measure word a bunch of
17	páizi	牌子	n.	sign(marked/written on aplate); plate
18	Qǐng wù xīyān	请勿吸烟		No smoking
19	zìzhùcān	自助餐	n.	buffet
20	zhàn	站	v.	stand
21	yuèlái yuè	越来越		more and more

22	yuè…yuè…	越……越……		the more . . . the more . . .
23	lǚyóu	旅游	v.	tour; go sightseeing
24	shīwàng	失望	adj.	feel disappointed
25	biǎoshì	表示	v.	express
26	kěxī	可惜	adj.	it's a pity
27	dǎoméi	倒霉	adj.	unlucky
28	gānjìng	干净	adj.	clean
29	shūguì	书柜	n.	bookcase
30	xiǎo bǎishè	小摆设		knickknack
31	dǎyìnjī	打印机	n.	printer
32	wénjiàn	文件	n.	documents
33	chuānghu	窗户	n.	window
34	chájī	茶几	n.	tea – table
35	zuì shǎo	最少		at least

Word Study

1. shàng n. on (used after a noun, indicating the surface of an object)

   e. g: zhuōzi shang, qiáng shang, shū shang, bàozhǐ shang

   Cídiǎn zài zhuōzi shang.

   Qiáng shang guàzhe yì zhāng huàr.

   Lìshǐshū shang xiězhe, nà gè huángdì zhǐ huóle 15 nián.

2. lǐ n. in (used after a noun, indicating the inside of an object)

   e. g: shǒu li, zhuōzi li, guìzi li, qìchē li, bàngōngshì li

   Hétong zài guìzi li.

   Fángjiān li yǒu hěnduō rén.

   Qiánbāo li meíyǒu qián le.

Idioms and expressions

děngzhe qiáo

e. g: Wǒmen cǎiqǔ děngzhe qiáo de tàidu.

Zánmen děngzhe qiáo! (We'll see who is right.)

Exercises

1. Substitution Drills

(1) Diànnǎo kāizhe, diànshì méi kāizhe.
Chuánzhēnjī dǎyìnjī
Kōngtiáo dēng
Chuānghu mén
Shuǐlóngtóu rèshuǐqì

(2) Tā chuānzhe yí jiàn hēi dàyī.
dài yí gè jīn jièzhi
dài hěnduō qián
dài yì tái diànnǎo
ná hěnduō wénjiàn

(3) Qiáng shang guàzhe yì zhāng zhàopiàn.
Shù guà hěnduō dēng
Guìzi fàng yìxiē zhǐ
Zhuōzi fàng yí gè shǒujī
Zhuōzi bǎi yì zhāng zhàopiàn
Mǎlù tíng hěnduō qìchē

(4) Páizi shang xiězhe "rùkǒu". (入口)
"chūkǒu" (出口)
"tíng" (停)
"màn" (慢)
"huānyíng" (欢迎)

(5) Wǒmen zǒuzhe qù bàngōngshì.
pǎo qù yīyuàn
zuò tán(huà)
tǎng kàn diànshì
zhàn chīfàn

(6) Tā hēzhe kāfēi kànbào.
kāi qìche dǎ shǒujī
guān chuānghu shuìjiào
tīng yīnyuè chīfàn

(7) Tiānqì yuèlái yuè rè le.
liáng
liángkuai
lěng
hǎo

(8) Wǒmen de gōngzuò yuèlái yuè máng .

Wǒmen de shēngyi	hǎo
Tā de shēntǐ	hǎo
Nǐ	piàoliang
Nǐ	niánqīng
Dōngxi	guì
Chē	duō
Yǔ	dà

(9) Yuè duō yuè hǎo.

zǎo	hǎo
dà	hǎo
piányi	hǎo
róngyi	hǎo

(10) Shù shang yǒu hěnduō niǎo.

Lù	chē
Lù	rén
Shìchǎng	jīhuì
Yīntèwǎng	xìnxī

2. Make sentences with "yuèlái yuè" and "yuè . . . yuè. . ." respectively.

3. Translate the following into English.

(1) Wǒ zhèngzài kāi chuānghu.
(2) Chuānghu kāizhe.
(3) Tā zhèngzài suǒ mén.
(4) Mén suǒzhe.
(5) Wǒ zhèngzài chuān dàyī.
(6) Wǒ chuānzhe dàyī.
(7) Tā zhèngzài hē chá.
(8) Tā hēzhe chá kàn shū.

4. Make three sentences with the words given.

e. g: zhuōzi shang, yì běn shū

a. Zhuōzi shang yǒu yì běn shū.

b. Zhuōzi shang shì yì běn shū. /Zhuōzi shàngbian shì yì běn shū.

c. Shū zài zhuōzi shang. / Shū zài zhuōzi shàngbian.

(1) guìzi li, yí fèn(r) hétong

a. ______________________________

b. ______________________________

c. ______________________________

(2) guìzi shang, diànnǎo

a. ______________________________

b. ______________________________

c. ______________________________

(3) fángjiān li, hěnduō rén

a. ______________________________

b. ______________________________

c. ______________________________

(4) yījià shang, yí jiàn yīfu

a. ______________________________

b. ______________________________

c. ______________________________

5. Answer questions.

(1) Nǐ shǒu li názhe shénme?

____

(2) Lóu xià tíngzhe yí liàng xīn qìchē, shì shéi de?

____

(3) Nà gè páizi shang xiězhe shénme? Nǐ rènshi ma?

____

(4) Zhuōzi shang fàngzhe shénme?

____

(5) Tā zhèngzài zuò shénme ne?

____

(6) Kōngtiáo kāizhe méiyou?

____

(7) Bǎoxiǎnguì suǒzhe méiyou?

(8) Wàibian zhànzhe de nà gè rén shì nǐ de sījī ma?

(9) Yījià shang guàzhe de dàyī shì shéi de?

(10) Nín dàizhe de jièzhi shì jīn de ba?

6. Translate the English in the brackets of "Sentences" into Chinese orally.

7. Write a short passage to describe the layout of your room.

Reference Words

1	huángdì	皇帝	n.	emperor
2	huó	活	v. /adj.	live/ alive
3	děngzheqiáo	等着瞧		wait and see
4	cǎiqǔ	采取	v.	adopt
5	tàidù	态度	n.	attitude
6	chuánzhēnjī	传真机	n.	facsimile; fax machine
7	kōngtiáo	空调	n.	air – conditioner
8	bǎi	摆	v.	put (appropriately)
9	rùkǒu	入口	n.	entrance
10	chūkǒu	出口	n.	exit
11	tǎng	躺	v.	lie(in a flat position on a surface)
12	niánqīng	年轻	adj.	young
13	róngyi	容易	adj.	easy
14	niǎo	鸟	n.	bird
15	yīntèwǎng	因特网	n.	Internet
16	xìnxī	信息	n.	information
17	yījià	衣架	n.	clothes – rack
18	bǎoxiǎnguì	保险柜	n.	strongbox; safe

Notes

The usage of the particle "**zhe**":

1) "**zhe**"used after a verb can indicate the continuation of a state expressed by a verb.

   e. g: Diànnǎo kāizhe. (The computer is on.)

   Diànnǎo méi kāizhe. (The computer is not on.)

   Diànnǎo kāizhe ma?/Diànnǎo kāizhe méiyou?(Is the computer on?)

   Tā hái huózhe. (He is still alive.)

   Qiáng shang guàzhe dìtú. (Maps are hanging on the wall.)

2) In a sentence with two verbs, "**zhe**" can be used after the first verb to indicate the manner of the action expressed by the second one.

   e. g: **Wǒ zǒuzhe shàngbān.** (I go to work by foot.)

   Tā kāizhe chuānghu shuìjiào.

   (He sleeps with the windows open.)

   Tā xiàozhe shuō. (xiào: smile) (He says with a smile.)

LESSON 10

Sentences

1. **Wǒ qùguo Měiguó, dànshì wǒ méi qùguo Yīngguó.**
I have been to the U. S. but I haven't been to Britain.

2. **Nǐ cānguānguo Zhōngguó Měishùguǎn ma?**
Have you ever visited the China Art Gallery?
——Wǒ cānguānguo. Nàr yǒu hěnduō yǒumíng de huàr, fēicháng hǎo.
Yes, I have. There are many famous paintings. They are very nice.

3. **Nǐ chīguo méi chīguo kǎoyā?/ Nǐ chīguo kǎoyā ma?**
Have you ever had the roast duck?
——Wǒ méi chīguo. Wèidào zěnmeyàng?
No, I haven't. How is the taste?
Nǐ yì chī jiù zhīdào le.
You'll know when you eat it.

4. **Wǒ yí dào bàngōngshì jiù kāishǐ gōngzuò.**
As soon as I get to the office I start to work.

5. **Qǐngwèn, qù Guójì Jùlèbù zěnme zǒu?**
Excuse me, can you tell me the way to the International Club?
——Yìzhí wǎng dōng, guòle lìjiāoqiáo jiùshì.
Go straight to the east. Pass through the bridge and you'll find it.

6. **Wǒmen 9: 00 shàng bān. Xiǎo Zhāng 8: 30 jiù lái le, xiǎo Wáng 9: 30 cái lái.**
We start to work at 9: 00. Little Zhang came as early as 8: 30,
Little Wang did not come until 9: 30.

7. **Wǒmen zǎo jiù rènshi le. Nǐ búyòng jièshào le.**

We were acquainted long ago. There is no need for you to make an introduction.

8 **Wǒ jīntiān cái zhīdào zhè gè xiāoxi. Méi rén gàosùguo wǒ.**

I only got the news today. Nobody has informed me.

General expressions

Zànměi (Compliments)

Nǐ jīntiān zhēn piàoliang! (You are so beautiful today!)

Nǐ hái nàme niánqīng! (You are still so young!)

Nǐ de Hànyǔ hěn búcuò. (Your Chinese is very good.)

Zhè gè háizi zhēn kěài! (What a cute child!)

Zhēn bàng! (How excellent!)

Dialogue

A: Zhè gè cāntīng fēicháng yǒumíng, yǐqián nǐ láiguo ma?

B: Méi láiguo. Zhè shì dì yī cì.

A: Qǐng nǐ diǎncài ba.

B: Bié kèqi. Nǐ diǎn ba. Kè suí zhǔ biàn.

A: Nǐ lái Běijīng yǐhòu, cānguānguo shénme dìfang le?

B: Wǒ cānguānle bùshǎo dìfang: Chángchéng, Gùgōng, Tiān'ānmén, děng.

A: Nǐ qùguo Xiāngshān ma?

B: Hái méi qùguo ne. Tīngshuō Xiāngshān hěn piàoliang, shì ma?

A: Shì de. Qiūtiān de shíhou, shùyè dōu hóng le, fēicháng piàoliang. Hěnduō rén qù Xiāngshān kàn hóngyè.

B: Nǐ kànguo Xiāngshān hóngyè ma?

A: Dāngrán. Xiāngshān shì wǒ zuì xǐhuan de dìfang zhī yī.

B: Suīrán wǒ méi qùguo nàr, dànshì wǒ xuéguo guānyú hóngyè de shī: "Shuāngyè hóng yú Èryuè huā", Wǒ shuō de duì ma?

A: Hěn duì, nǐ néng jiǎng yi jiǎng ma?

B: "Shuāngyè hóng yú Èryuè huā" de yìsi shì: Qiūtiān de hóngyè bǐ chūntiān de huār gèng piàoliang.

A: Nǐ de Zhōngwén tài bàng le!

B: Nǎlǐ nǎlǐ.

New Words

1	guo	过		a particle (used after a verb to indicate a past experience)
2	guò	过	v.	cross; pass
3	měishùguǎn	美术馆	n.	art gallery
4	yī ... jiù ...	一……就……		when(ever) ... immediately/then; as soon as
5	Guójì Jùlèbù	国际俱乐部	n.	the International Club
6	jiù	就	adv.	as early as; (used after a word or phrase denoting time to indicate that the time is already or earlier than expected.)
7	cái	才	adv.	not until; only(used to indicate

				at the time or the occurrence of an action is late or later than expected.)
8	búyòng	不用	adv.	need not; no need
9	méirén	没人	pron.	nobody
10	xiāoxi	消息	n.	news
11	zànměi	赞美	v./n.	praise; eulogize; compliment
12	nàme	那么	conj.	so
13	niánqīng	年轻	adj.	young
14	kěài	可爱	adj.	lovely; cute
15	bàng	棒	adj.	excellent
16	kè suí zhǔ biàn	客随主便		A guest should suit the convenience of the host/hostess
17	dìfang	地方	n.	place
18	děng	等		a particle and so on, etc.
19	Xiāngshān	香山	n.	Fragrant Hill (in Beijing)
20	qiūtiān	秋天	n.	autumn
21	yè	叶	n.	leaves
22	guānyú	关于	prep.	about; concerning
23	shī	诗	n.	poem
24	"Shuāngyè hóng yú Èryuè huā" 霜叶红于二月花 The frosty leaves are redder than the flowers of early spring.			
	shuāng	霜	n.	frost(the white powdery substance)
	yú	于	prep.	than
25	jiǎng	讲	v.	explain
26	yìsi	意思	n.	meaning
27	chūntiān	春天	n.	spring
28	nǎlǐ nǎlǐ	哪里哪里		a humble expression (used as a polite reply to a compliment)

Word Study

1. "jiù" and "yī . . . jiù . . ."

(1) "jiù" (adv.) means: soon; just; exactly (refer to Word Study, Lesson 2), "jiù" can also be used as a conj. to connect two actions. It means immediately, then. (refer to Notes, Lesson 7)

(2) "yī ... jiù ... " is a sentence structure which means:

when(ever) ... immediately/then ... as soon as.

It indicates and emphasizes the close succession of two actions or events. Here, "jiù" is also a conj. and means immediately, then.

"yī" changes its tone to "yí" when followed by a fourth tone, and changed to "yì" when followed by a first, second or third tone.

e. g: **Wǒ yí dào nàr jiù hé nǐ liánxì.**

(I will contact you as soon as I arrive there.)

Tā yì xiūxi jiù qù dǎ wǎngqiú.

(He will go to play tennis whenever he has a day off.)

Yí xià shuāng shùyè jiù hóng le.

(When there is frost the tree leaves turn red.)

Wǒ yì zhīdào zhè jiàn shì jiù hěn zháojí.

(I was very worried when I knew this.)

2) "jiù" and "cái"

(1) "jiù" (adv.) can be used after a word or phrase denoting time to indicate that the time is early or earlier than expected. It means: as early as.

e. g: **Jīntiān wǒ 6: 00 jiù qǐchuáng le.**

(I got up at 6: 00 today. – It implies that I got up rather early.)

Wǒ zǎo jiù zhīdào zhè gè xiāoxi le.

(I got the news long ago.)

(2) "cái" (adv.) can be used to indicate that the time or the occurrence of an action is late or later than expected. It means: not until; only.

"cái" should not go with "le" which indicates the occurrence or the completion of an action.

e. g: **Zuótiān wǎnshang wǒ 9: 30 cái xiàbān.**

(I did not leave my office until 9: 30 last night.)

Xiànzài wǒ cái míngbai.

(I only understand it now.)

Nǐ wèishénme cái lái?

(Why do you come so late?)

Lesson 10

Idioms and expressions

1. gěi miànzi

Bùzhǎng xiānsheng cānjiāle wǒmen de zhāodàihuì, zhēn gěi miànzi.

2. diū miànzi

Kāihuì de shíhou, hěn duō rén fǎnduì wǒ de yìjiàn, wǒ juéde hěn diū miànzi.

Exercises

1. Substitution Drills

(1) Wǒ qùguo Fǎguó, méi qùguo Déguó .
Měiguó Jiānádà
Yìdàlì Xībānyá
Xiānggǎng Àomén
Shànghǎi Nánjīng

(2) Nǐ cānguānguo Gùgōng ma?
Shànghǎi Bówùguǎn
nà gè gōngchǎng
nà gè měishùguǎn
nà gè zhǎnlǎn

(3) Nǐ kànguo jīngjù méiyou?
kàn zúqíusài
jiàn nà wèi jīnglǐ
tīngshuō zhè jiàn shì
hē Máotái
yòng zhè gè páizi de xiāngshuǐ

(4) Guòle mǎlù jiù shì.
lìjiāoqiáo
hónglǜdēng
shōufèizhàn
jiāyóuzhàn

(5) Nǐ yì tīng jiù míngbai le.
wèn qīngchu
kàn qīngchu
chī zhīdào

chángzhīdào

(6) Tā yí dào wǒmen jiù chūfā .

yìhuílái	kāi huì
lái	jǐnzhāng
zǒu	xiūxi le
shēngqì	bù shuōhuà le

(7) Kèrén xià xīngqī jiù dào .

Wǒmen	xiūjià
Tā	huíguó
Tāmen	jiéhūn
Tā	tuìxiū le

(8) Wǒ men zǎo jiù zhīdào le.

rènshi
tīngshuō
lái
dào
shōudào

(9) Tā 10: 00 cái lái bàngōngshì .

xià yuè	huílái
wǎnshang 11: 00	huí jiā
qùnián	kāishǐ xuéxí Hànyǔ
shàngyuè	dào wǒmen gōngsī gōngzuò

(10) Wǒ cái shōudào nǐ de xìn.

zhīdào zhè jiàn shì
xuédào dì shí kè
míngbai zhè gè cí de yìsi

2. *Fill in the blanks with "jiù" or "cái":*

(1) Wǒ zǎo______gàosù nǐ le. Nǐ wàngle ma?
(2) Wǒ______shōudào nǐ de diànzǐ yóujiàn.
(3) Yǔ xiàle yì tiān_____tíng.
(4) Kèrén shàngwǔ_____dào le.
(5) Lù bù hǎo zǒu, wǒmen yòngle yí gè xiǎoshí____dào fēijīchǎng.

3. *Translate the following into Chinese and try to use "yī. . . jiù. . ." structure.*

(1) I will give you a call as soon as I get the news.

(2) Whenever she comes to Beijing, I will go to the airport to meet her.
(3) I will go home as soon as I get off work.
(4) The teacher explained this word to me and I understood immediately.
(5) I will drink a cup of coffee as soon as I get to the office in the morning.

4. What does the word "jiu" (in different tones) mean in the following?

(1) píjiǔ, pútáojiǔ, báijiǔ, hē jiǔ (liquor)
(2) jiǔ diǎn, shíjiǔ, dì jiǔ, yījiǔsìjiǔnián (nine)
(3) jiù shū, jiù yīfu, jiù qìchē (used, old)
(4) Wǒ mǎshàng jiù lái. (soon)
(6) Zhè jiùshì wǒmen jīng lǐ. (exactly)
(7) Wǒ jiù yào zhè jiàn yīfu. (just)
(8) Tāmen zuótiān zǎoshang jiù dào le. (as early as)
(9) Tā xiàle bān jiù qù jiànshénfáng le. (immediately, then)
(10) Zǒngjīnglǐ yí dào wǒmen jiù kāihuì. (immediately)

5. Fill in the blanks with "guo" where it is necessary.

(1) Wǒ qù_____nàr. Nà shì yí gè hěn piàoliang de dìfang.
(2) Wǒ hē_____nà zhǒng kāfēi, wèidào hǎojí le.
(3) Wǒ měitiān zǎoshang dōu hē_____yì bēi kāfēi.
(4) Zuótiān wǒ cānguān_____nà gè zhǎnlǎn le.
(5) Wǒ cānguān_____nà gè zhǎnlǎn, hěn yǒuyìsi.

6. Translate the English in the brackets of "✌ Sentences" into Chinese orally.

7. Make three sentences with each of the verbs given and try to use "zhèngzài", "le" and "guo" respectively.

e. g: mǎi (buy)

Tā zhèngzài mǎi shū.
Tā mǎile jī běn shū. Or: Tā mǎi shū le.
Tā zài nà gè shūdiàn mǎiguo shū.

(1) cānguān (visit)
(2) kǎolǜ (think over)

(3) jìnkǒu (import)
(4) lái (come)
(5) chī (eat)
(6) xué (study)

Reference Words

1	miànzi	面子	n.	prestige; face
	gěi miànzi	给面子		show due respect for some body's feelings
	diū miànzi	丢面子		lose face
2	páizi	牌子	n.	brand; trademark; sign; plate
3	xiāngshuǐ	香水	n.	perfume
4	shōufèizhàn	收费站	n.	toll gate
5	jiāyóuzhàn	加油站	n.	gas station
6	cháng	尝	v.	taste
7	jǐnzhāng	紧张	adj.	be nervous
8	shōudào	收到	v.	receive
9	cí	词	n.	word

Notes

guo

"guo" is used right after a verb to indicate a past experience. A sentence with"guo" stresses that the action has taken place so far, rather than giving the time when the action took place.

e. g: Wǒ qùguo Měiguó. (I have been to the U. S.)

Wǒ jiànguo tā. (I have met him before.)

Tā zài nà gè gōngsī gōngzuòguo.

(He once worked in that company.)

Negative form:

Wǒ méi qùguo Měiguó. (I haven't been to the U. S.)

Wǒ méi jiànguo tā. (I haven't met him before.)

Tā méi zài nà gè gōngsī gōngzuòguo.

(He hasn't worked in that company.)

Question forms:

Nǐ qùguo Měiguó ma?/ Nǐ qùguo Měiguó méiyou?

(Have you ever been to the U. S. ?)

Nǐ jiànguo tā ma?/ Nǐ jiànguo tā méiyou?

(Have you met him before?)

Tā zài nà gè gōngsī gōngzuòguo ma?

/Tā zài nà gè gōngsī gōngzuòguo méiyou?

(Has he ever worked in that company?)

Comparison:

1) **Wǒ qùguo Měiguó.** (I have been to the U. S.)

Wǒ qù Měiguó. (I go to the U. S.)

2) **Wǒ méi qùguo Měiguó.** (I haven't been to the U. S.)

Wǒ méi qù Měiguó. (I didn't go to the U. S.)

LESSON 11

(Review)

1. *Verbs can be classified into 3 categories:*

1) Verb to be: shì, zaì
2) Verb to have: yǒu
3) Verb to do: e. g. xuéxí, gōngzuò, tóngyì, qù, lái, yào, etc.

2. *Read the following verbs that fall into the third category and explain them in English. (When reading, cover the English translation.)*

1) All the verbs appeared as new words (up to L. 10):

ānpái (arrange) **bànlǐ** (handle) **bāngzhù** (help) **bāohán** (excuse; forgive) **biǎoshì** (express)
bìng (get sick) **cānguān** (visit) **cānjiā** (attend; join) **chī** (eat) **chídào** (arrive late)
chūchāi (go on a business trip) **chūfā** (set out; set off) **chūqù** (go out) **chuān** (wear)
dǎ (play; strike; beat) **dǎzhēn** (have/give an injection) **dài** (take; bring) **dào** (arrive)
děng (wait for) **děngyú** (be equal to) **diǎn cài** (order dishes) **dìng** (fix; set) **dìng** (make a reservation)
dǒng (understand) **fācái** (make a fortune) **fāshāo** (have a fever) **fāzhǎn** (develop) **fǎnduì** (oppose)
fàng (put) **fùkuǎn** (pay) **fùyìn** (make a copy) **gǎnmào** (catch cold) **gǎnxiè** (thank)

Lesson 11

gàosu　gěi　gōngxǐ　gōngzuò　guà
(tell)　(give)　(congratulate)　(work)　(hang)

guǎi　guān　guò　hē　hézuò
(turn)　(turn off; close)　(cross; pass)　(drink)　(cooperate)

huài　huàn　huí　huídá
(become bad)　(change; exchange)　(return)　(answer)

huílái　huíjiàn　jiànlì　jiǎng　jiāo fèi
(come back)　(meet with sb.)　(set up)　(explain)　(hand over the payment)

jiào　jiē　jièshào　jiéhún　jìn
(be called)　(meet; pick up)　(introduce)　(be married)　(enter)

jìnlái　jìnkǒu　jǔxíng　juéde　juédìng
(come in)　(import)　(hold)　(feel)　(decide)

kāi　kāihuì　kāishǐ　kàn
(turn on; open)　(start/attend/hold a meeting)　(begin)　(look; see; read; watch)

kǎolǜ　lái　liánxi　liúyán　lǚyóu
(think over)　(come; take)　(contact)　(leave a message)　(tour; go sightseeing)

mǎi　míngbai　ná　pāi　pài
(buy)　(understand)　(hold; take)　[take (a picture)]　(assign)

pǎo　qǐchuáng　qiān　qǐng　qìngzhù
(run)　(get up)　(sign)　(invite)　(celebrate)

qù　ràng　rànglù　rènwéi
(go)　(let; ask; allow)　(give way; make way for sb.)　(think)

rènshi　shàngbān　shēngchǎn
[make the acquaintance of (sb.)]　(go to work)　(produce)

shìbiǎo　shōu　shǔ　shuìjiào
(take temperature)　(receive)　(count)　(go to bed; sleep)

shuō　sòng　sònggěi　suǒ
(speak; say)　(see somebody off; escort)　(give as a gift)　(lock)

tán　tiàowǔ　tīng　tīngshuō　tóngyì
(talk)　(dance)　(listen)　(it is said; be told)　(agree)

tóuzī　tuìxiū　wàng　wánr　wèn
(invest)　(retire)　(forget)　(play; have fun)　ask (a question)

xīwàng　xīyān　xǐhuan　xià　xiàyǔ
(hope)　(smoke)　(like)　(go downwards)　(rain)

xiàbān　xiě　xiè　xiūjià　xiūxi
(get off work)　(write)　(thank)　(take a holiday)　(rest)

xuéxí (study) yāoqǐng (invite) yào (want) yǐnqǐ (cause) yòng (use)
yóuyǒng (swim) zànměi (praise; eulogize)
zhá (deep-fry) zhàn (stand) zhāodài [receive (guests)] zhǎo [look for; give (change)]
zhīchí (support) zhīdào (know) zhí (be worth) zhìzào (manufacture; make) zhǔ (boil)
zhù (stay; live) zhù (wish) zhùhè (congratulate) zhuǎn [switch to (a telephone extension)]
zhǔnbèi (prepare) zǒu (walk) zuò (sit) zuò (do)

2) All the verbs appeared as reference words (up to L. 10):

bǎi [put (appropriately)] cāi (guess) cǎiqǔ (adopt) cháng (taste)
chōuyān (smoke) dǎqì (pump up) dǎyìn (print) dài (wear) diū (lose)
dòng (touch) dǔ (block up) duànliàn (take physical training) guāfēng (wind blows)
hébìng (merge) huábīng (skate) huìtán (negotiate) huó (live)
jiā (add) jiābān (do overtime work) jiāyóu (refuel) jiéshù (end)
jiézhàng (settle accounts) jiějué [solve (a problem)] késou (cough) máfan (bother; trouble)
mài (sell) péi (accompany) pòchǎn (go bankrupt) qí [ride (a straddling position)]
qǔqián (draw money) shì (try) shēngqì (get angry) shōudào (receive)
tán [play (a musical instrument with fingers)] tǎng (lie) tíxǐng (remind)
tíng (stop; park) tōngzhī (inform) xǐzǎo (take a bath) xiàxuě (snow)
xiūlǐ (repair) yíngyè (do business) zhēng (steam) zhǐjiào [give advice (a polite formula)]

zhuāng (load; install)
zū (rent)

3. The particle "le" (indicating completion) and "guo" must be placed right after a verb, so special attention should be given to the verbs underlined above which are composed of two parts: a verb + object. Also, other elements should be put in between.

Read the following aloud:

dǎzhēn: dǎle zhēn, dǎguo zhēn, dǎ liǎng zhēn.

diǎncài: diǎnle cài, diǎn liù gè cài.

fācái: fāle cái, fāguo cái, fā dà cái.

fùkuǎn: fùle kuǎn, fùguo kuǎn.

jiāofèi: jiāole fèi, jiāo hěnduō fèi.

liúyán: liúle yán, liúguo yán.

rànglù: ràng yíxiàr lù.

shìbiǎo: shì yíxiàr biǎo, shìguo biǎo.

shuìjiào: shuì yí gè hǎo jiào, shuì bā gè xiǎoshí de jiào.

tiàowǔ: tiàoguo wǔ, tiào yí gè xiǎoshí de wǔ.

tóuzī: tóuguo zī, tóu duōshao zī

xīyān: xīguo yān, xī duōshao yān

chōuyān: chōuguo yān, chōu shénme yān

xiàyǔ: xiàguo yǔ, xià dà yǔ, xià xiǎo yǔ.

xiàbān: xiàle bān.

xiūjià: xiū liǎng gè xīngqī de jià.

yóuyǒng: yóuguo yǒng, yóu yì xiǎoshí de yǒng.

dǎqì: dǎle qì.

guāfēng: guā dàfēng.

huábīng: huáguo bīng, huá bàn xiǎoshí de bīng.

jiābān: jiā liǎng gè xiǎoshǐ de bān, jiā bàn tiān bān.

jiāyóu: jiāle yóu, jiā 93 hào yóu.

jiézhàng: jiéle zhàng.

qǔqián: qǔle qián, qǔ hěnduo qián, qǔ 5, 000 Kuài qián.

xǐzǎo: xǐle zǎo, xǐ rèshuǐ zǎo.

xiàxuě: xiàguo xuě, xià dàxuě, xià xiǎoxuě.

4. *Aspects of an action*

Aspects of an action mean that an action may be in different states of progression, continuation, completion or preparation.

(1) The aspect of an on – going action

"zhèngzài + verb" Indicates that an action is or was in progress.

(Refer to Notes in Lesson 8.)

e. g. : **Tā zhèngzài xuéxí Hànyǔ.**

Tā méi (zài) xuéxí Hànyǔ.

Tā zhèngzài xuéxí Hànyǔ ma?

(2) The aspect of continuation

"verb + **zhe**" indicates the continuation of a state expressed by a verb.

(Refer to Notes in Lesson 9.)

e. g. : **Zhuōzi shang bǎizhe yì píng huār.**

Zhuōzi shang méi bǎizhe huār.

Zhuōzi shang bǎizhe yì píng huār ma?

(3) The aspect of completion

"verb + le" indicates the completion of an action.

(Refer to Notes in Lesson 7.)

e. g. : **Tā mǎile yí liàng xīn qìchē.**

Tā méi mǎi xīn qìchē.

Tā mǎile yí liàng xīn qìchē ma?

(4) The aspect of completion with stress on past experience

"verb + **guo**" indicates a certain experience in the past. It stresses that an action has taken place so far, rather than giving the time when the action took place. So, the specific time indicating when the action took place should not be mentioned.

(Refer to Notes in Lesson 10.)

e. g. : **Wǒ xuéguo Yīngyǔ.**

(Wrong: Qùnián wǒ xuéguo Yīngyǔ.)

Wǒ méi xuéguo Yīngyǔ.

Nǐ xuéguo Yīngyǔ ma?

(5) The aspect of a future action

a) "**jiāng** + verb" indicates that something will happen in future.

(Refer to Notes in Lesson 5.)

e. g. : **Tā jiāng qù Yīngguó xuéxí.**

Tā bú qù Yīngguó xuéxí.

Tā jiāng qù Yīngguó xuéxí ma?

b) "yào ... le" or "yào" (when used as an auxiliary verb) can also indicate that something will happen soon.

(Refer to Word Study in Lesson 6.)

e. g. : Wǒ yào tuìxiū le.
Wǒ bú tuìxiū.
Nǐ yào tuìxiūle ma?
Tā yào qù Yīngguó xuéxí.
Tā bú qù Yīngguó xuéxí.
Tā yào qù Yīngguó xuéxí ma?

5. Fill in the blanks with the words given in bracket.

(zhèngzài, zhe, le, guo, jiāng, yào ... le)

1) Wǒ chī_______kǎoyā, fēicháng hǎochī.
2) Zuótiān tā qù tīng yīnyuèhuì_______.
3) Nǐ qù_______nà gè jiǔbā ma?
4) Jīntiān wō yǐjīng hē_______sān bēi kāfēi_______.
5) Wǒmen gōngsī_______zài Shànghǎi tóuzī.
6) Zhuōzi shang fàng_______wǒ háizi de zhàopiàn.
7) Xiànzài tāmen_______kāihuì.
8) Wǒ xǐhuan tǎng_______kàn shū.
9) Tāmen_______jiéhūn_______. Nǐ xiǎng gěi tāmen mǎi shénme lǐwù?
10) Shìjiè shang hěnduō dà gōngsī de CEO_______dào Běijīng cānjiā yántǎohuì.

6. Translate the English into Chinese.

1) They have visited many interesting places.
2) I haven't met him before.
3) I am going to take a vacation next week.
4) They will set up an office in Shanghai.
5) He is making a telephone call.
6) We bought two air tickets for Hong Kong.
7) Last weekend we went to the Great Wall.
8) It is written on the box: "Made in China".
9) We have already informed them.
10) It is going to snow.

7. *Translate the Chinese into English.*

1) Nǐ gěi tā fā E－maille ma?
2) Wǒmen shōudàole sān fènr chuánzhēn.
3) Nǐ chīle fànle ma?
4) Wǒ yǐjīng jiāole fèi le.
5) Wǒmen diǎnle sì gè rècài hé liǎng gè liángcài.
6) Wǒ shuìle liù gè xiǎoshí.
7) Lù shang dǔchē. Cóng bàngōngshì dào fēijīchǎng wǒmen yòngle liǎng gè bàn xiǎoshí.
8) Tā zài Zhōngguó gōngzuò wǔ nián le. Míngnián (tā) yào huí guó le.
9) Wǒ xǐhuan yóuyǒng. Wǒ měi tiān dōu yóu bàn gè xiǎoshí.
10) Hànyǔ nán bu nán? Nǐ xuéle duōcháng shíjiān?

8. *Reading material.*

Wànshì kāitóu nán

Xuésheng: Lǎoshī, Hànyǔ tài nán le. Wǒ xuéle sān gè yuè le, dànshì, wǒ zhǐ néng shuō yìdiǎnr.

Lǎoshī: Shì de. Hànyǔ bù róngyi. "Wànshì kāitóu nǎn".

Xuésheng: "Wànshì kāitóu nán" shì shénme yìsi? Qǐng nín gěi wǒ jiǎng yi jiǎng, hǎo ma?

Lǎoshī: "Wànshì kāitóu nán" de yìsi shì: shénme shì kāishǐ de shíhou dōu hěn nán.

Xuésheng: Wǒ míngbai le. Kāitóu hěn nán, hòubian jiù yuèlái yuè róngyi le.

Lǎoshī: Wǒmen zǒngshì jué de kāitóu zuì nán.

Xuésheng: Lǎoshī, wǒ xiǎng xiān xuéxí hòubian de.

New Words

1	wànshì	万事	n.	all things (wàn: ten thousand; Shì: matter)
2	wànshì kāitóu nán	万事开头难		everything is hard in the be ginning
3	kāitóu	开头	n.	the beginning
4	xuésheng	学生	n.	student

Fēn Dàngāo

Háizi: Xièxie nín gěi wǒ mǎi de dàngāo. Wǒ kěyǐ chīle ma?

Mǔqin: Zhè shì gěi nǐ hé nǐ mèimei de. Nǐmen fēnzhe chī ba.

Fēn dàngāo de shíhou, nǐ yào zuò yí gè hǎo háizi.

Háizi: Zěnme zuò cái shì hǎo háizi ne?

Mǔqin: Fēn dàngāo de rén yīnggāi yào xiǎo de.

Háizi: Nàme, ràng mèimei fēn ba. Tā yídìng shì yí gè hǎo hāizi.

New Words

1	fēn	分	v.	divide; separate
2	zuò	做	v.	act as; be; do
3	nàme	那么	conj. /adv.	ain that case/ then; so

LESSON 12

Sentences

1. **Kàn! Nà gè chuān lán dàyī de rén jiùshì wǒmen jīnglǐ. Nǐ kànjiànle ma?**
Look! The man wearing a blue coat is our manager. Did you see him?

——Wǒ kànjiàn le.

Yes, I saw him.

2. **Tīng! Yǒurén zhèngzài chànggē. Nǐ tīngjiàn mei tīngjiàn?**
Listen! Someone is singing. Did you hear it?

——Wǒ méi tīngjiàn. Wǒ de ěrduo méiyǒu nǐ de hǎoyòng.

No, I didn't. My ears are not as sharp as yours.

3. **Míngtiān xiàbān yǐqián, wǒ kěyǐ xiě wán zhè gè bàogào.**
Before we go off work tomorrow, I can finish writing this report.

4. **Tā shuō de huà, nǐ tīngdǒngle ma?**
Did you understand what he said?

——Wǒ tīngdǒngle yíbùfèn.

I understood part of it.

5. **Wéi! Zhè shì lǚxíngshè ma?**
Hello! Is this a travel agent?

——Zhè búshì lǚxíngshè. Nǐ dǎcuò le.

This is not a travel agent. You've got the wrong number. / You dialed wrongly.

6. **Lǎoshī, zhè gè zì wǒ xiěduìle ma?**
Professor, did I write the character correctly?

——Hěn hǎo. Nǐ xiěduìle.

Yes, very good. You wrote it correctly.)

7 **Nǐ xiūlǐ hǎo qìchēle ma?/Nǐ xiūlǐ hǎo qìchē méiyǒu?**
(Have you repaired the car?)

——Duìbuqǐ, hái méi xiūlǐ hǎo ne. Xià xīngqī cái néng xiūlǐ hǎo.
Sorry, not yet. The repairs can only be done next week.

8 **Qǐng dàjiā zuòhǎo, fēijī jiùyào qǐfēi le.**
Please be well seated. The plane is going to take off.

9 **Duìbuqǐ, qǐng zài shuō yí biàn. Wǒ méi tīng qīngchu.**
Sorry, I beg your pardon. /Please say it again. I didn't hear clearly.

10 **Wǒ bìxū shuō míngbai, zhè búshì wǒmen de cuòr.**
I must make it clear that it is not our fault.

General expressions

Zhùyuàn (Good wishes)

Zhù nǐ chénggōng! (May you succeed!)
Zhù nǐ shēntǐ jiànkāng! (I wish you very good health!)
Zhōumò yúkuài! (Have a nice weekend!)
Shèngdànjié yúkuài! (Merry Christmas!)
Xīnnián hǎo! (Happy New Year!)
Zhù nǐ lǚtú yúkuài! (I wish you a pleasant journey!)

Dialogue

Child: Jīntiān nín qù yòuéryuán de shíhou, kànjiàn wǒ huà de xióngmāole ma?
Mother: Wǒ kànjiàn le, zhēn bàng! Bié de xiǎopéngyou huà shénme le?
Child: Dōu shì xiǎodòngwù, xiǎogǒu, xiǎomāo hé xiǎoniǎo.
Mother: Wǒ wèn nǐ, nǐ zhīdào xióngmāo chī shénme ma?
Child: Shéi dōu zhīdào, xióngmāo xǐhuan chī zhúzi.
Mother: Wǒ zài wèn nǐ yí gè wèntí. Nǐ tīng hǎo: Shénme niǎo xiàngzhēng hépíng?
Child: Wǒ zhīdào, gēzi xiàngzhēng hépíng. Wǒ néng wèn nín yí gè wèntí ma?
Mother: Dāngrán.
Child: Shìjiè shang, xiān yǒu jī háishì xiān yǒu jīdàn?
Mother: Zhè gè . . . , wǒ yě bú tài qīngchù. Wǒ bú shì zhéxuéjiā.
Wǒmen bù tán zhè gè. Wǒ jiāo nǐ yí gè ràokǒulìng ba.
Child: Hǎo ba.

Mother: "Chī pútáo bù tǔ pútáo pír, bù chī pútáo dào tǔ pútáo pír."
Child: Wǒ méi tīng míngbai. Wèishénme "Chī pútáo bù tǔ pútáo pír, bù chī pútáo dào tǔ pútáo pír" ne?
Mother: Shǎ háizi, zhè shì ràokǒulìng. Nǐ bié tài rènzhēn le.

New Words

1	kànjiàn	看见	v.	see
2	tīngjiàn	听见	v.	hear
3	ěrduo	耳朵	n.	ear
4	chànggē	唱歌	v.	sing a song
5	wán	完	v.	be over
6	bàogào	报告	n.	report
7	bùfen	部分	n.	part
8	lǚxíngshè	旅行社	n.	travel agent
9	cuò/cuòr	错/错儿	adj./n.	wrong/fault

10	zì	字	n.	word; character
11	xiūlǐ	修理	v.	repair
12	qǐfēi	起飞	v.	(a plane) take off
13	biàn	遍	measure word(for actions)	once through; a time
14	qīngchu	清楚	adj.	clear(easy to see, hear, read or understand)
15	zhùyuàn	祝愿	v.	wish
16	yúkuài	愉快	adj.	pleasant
17	Shèngdànjié	圣诞节	n.	Christmas
18	lǚtú	旅途	n.	journey
19	yòuéryuán	幼儿园	n.	kindergarten
20	huà	画	v.	draw
21	xióngmāo	熊猫	n.	panda
22	dòngwù	动物	n.	animal
23	gǒu	狗	n.	dog
24	māo	猫	n.	cat
25	niǎo	鸟	n.	bird
26	zhúzi	竹子	n.	bamboo
27	xiàngzhēng	象征	v.	symbolize
28	hépíng	和平	n.	peace
29	jī	鸡	n.	chicken
30	jīdàn	鸡蛋	n.	hen egg
31	zhéxuéjiā	哲学家	n.	philosopher
32	jiāo	教	v.	teach
33	ràokǒulìng	绕口令	n.	tongue twister
34	pútáo	葡萄	n.	grape
35	pí(r)	皮(儿)	n.	peel; rind; skin
36	tǔ	吐	v.	spit
37	dào	倒	adv.	indicating something unexpected
38	shǎ	傻	adj.	stupid; silly
39	rènzhēn	认真	adj.	serious (not joking or funny)

Word Study

"xiān", "dì yī" and "dì yī cì"

"xiān" : first, before anything else.

e. g: **Wǒmen xiān qù Bólín, ránhòu qù Bālí, zuìhòu qù Luómǎ.**

(We go to Berlin first, then to Paris, finally Rome.)

Wǒ xiān jièshào yíxiàr. (Let me make an introduction first.)

"dì yī": first, an ordinal number.

e. g: **Měitiān tā zǒngshì dì yī gè dào bàngōngshì.**

(He is always the first person to come to the office everyday.)

Yìdàlì duì shì dì yī míng.

(The Italian team won first place.)

"dì yī cì": for the first time.

e. g: **Zhè shì nǐ dì yī cì lái Zhōngguó ma?**

(Is this your first visit to China?)

Idioms and expressions

1. rùxiāngsuísú

Wǒmen shì wàiguó gōngsī, dànshì Chūnjié yě xīujià. "rùxiāngsuísú" ma.

2. chōngdiàn

(1) Wǒ de shǒujī diànchí méi diàn le, zhèngzài chōngdiàn.

(2) Zhōumò de shíhou, wǒ xuéxí Yīngyǔ hé diànnǎo. Wǒ xūyào "chōngdiàn".

Exercises

1. Substitution Drills

(1) Nǐ kànjiàn lǎobǎnle ma? ——Wǒ méi kànjiàn.

wǒ de yàoshi

zuōzi shang de fāpiào

lóu xià de tōngzhī

páizi shang xiě de zì

(2) Nǐ tīngjiàn tā chànggēle ma? —— Wǒ tīngjiàn le.

wǒ jiào nǐ

wàibian xià yǔ

yǒu rén qiāo mén

diànhuà xiǎng

(3) Nǐ shénme shíhou néng xiě wán bàogào?

chī	fàn
kāi	huì
xué	zhè běn shū
bàn(lǐ)	shǒuxù

Míngtiān jiù néng xiěwán.

12:30	chī
11:00	kāi
Xià yuè	xué
Sān tiān	bàn

(4) Nǐ kàndǒng zhè běn shūle ma?

kàn	shuōmíngshū
tīng	wǒ de huà
tīng	wǒ de yìsi

(5) Fēijīpiào nǐ mǎiduìle ma?

Lù	zǒu
Dìzhǐ	xiě
Rìqī	xiě
Wèntí	huídá

(6) Tā ná cuò yīfu le.

dǎ	diànhuà
zǒu	lù
yòng	yàoshi
xiě	dìzhǐ
chī	yào

(7) Zhè jiàn shì wǒ shuō qīngchu le.

Tā de huà	tīng
Diànhuàhào	xiě
Dìzhǐ	xiě

(8) Nǐ méi shuō míngbai.

tīng

kàn
xiě
jiǎng

(9) Nǐ liánxì hǎole ma? —— Yǐjīng liánxìhǎo le.

ānpái ānpái
zhǔnbèi zhǔnbèi
fàng fàng
zuò zuò

(10) Nǐ zhǔnbèihǎo wénjiàn méiyǒu?

xiě bàogào
dìng fángjiān
mǎi jīpiào
shuō shíjiān
chuān yīfu

——Hái méi zhǔnbèihǎo ne.

xiě
dìng
mǎi
shuō
chuān

(11) Qǐng zǒuhǎo.

zuò

(12) Ná hǎo dōngxi.

Dài qián
Dài hùzhào
Fàng xíngli

2. Fill in the blanks with "xiān" "dì yī" or "dì yī cì".

(1) Zhè shì wǒ_______chī kǎoyā.
(2) Wǒ_______kànjiàn tā shì zài 1998 nián.
(3) Zǒngjīnglǐ_______qù Shànghǎi, ránhòu huí Běijīng.
(4) Qǐng nǐmen_______tán yíxiàr nǐmen de yìjiàn.
(5) Wǒmen de chǎnpǐn zhìliàng shìjiè_______.

3. Translate the following into Chinese (use the words in brackets).

(1) Did you see Miss Wang? (kànjiàn)

(2) I didn't hear anything. (tīngjiàn, shénme dōu/yě)
(3) Can you understand me? (tīngdǒng, wǒ de huà)
(4) Wrong number! (dǎcuò)
(5) Watch your steps! (zǒuhǎo)
(6) Please be well seated. (zuòhǎo)
(7) I haven't finished my dinner. (chīwán, hái méi ... ne)
(8) I have made it clear. (shuō qīngchu/míngbai)
(9) You are right. (shuōduì)
(10) Sorry, I didn't say it correctly. (shuōcuò)

4. *Add the following words to the verbs listed to form a complement of result, and explain them in English.*

e. g: **wán**(be over): **ānpái wán** (finished the arrangements)
kāihuì (have a meeting): **kāi wán huì** (finish the meeting)

(1) wán
[verbs: ānpái, bàn(lǐ), cānguān, chī, chuān, dǎ, hē, kāihuì, kàn, mǎi, mài, shuō, tán, tīng, xiě, yòng, xué(xí), huà]

(2) hǎo
[verbs: ānpái, bàn(lǐ), chī, chuān, dìng, fàng, hē, kàn, liánxi, mǎi, ná, shuō, suǒ, tán, tīng, xiě, zhǔnbèi, zǒu, zuò, bǎi, zhǔ]

(3) dǒng
[verbs: kàn, tīng]

(4) míngbai or qīngchu
[verbs: kàn, tīng, shuō, tán, xiě]

(5) duì or cuò
[verbs: chuān, dǎ diànhuà, dìng fēijīpiào, fàng, ná, shuō, xiě, yòng, tīng, zǒu, cāi]

5. *Make sentences with some of the above word groups.*

6. *Translate the English in the brackets of "✌ Sentences" into Chinese orally.*

Reference Words

1	rùxiāngsuísú	入乡随俗		Wherever you are, follow local customs. When in Rome do as the Romans do.
2	ma	嘛		a particle used at the end of a sentence indicating that something is obvious
3	chōngdiàn	充电	v.	charge with electricity; enrich one's knowledge by taking a course
4	fāpiào	发票	n.	invoice
5	qiāo	敲	v.	knock
6	xiǎng	响	v.	ring
7	shuōmíngshū	说明书	n.	a booklet of directions
8	dìzhǐ	地址	n.	address
9	yào	药	n.	medicine
10	rìqī	日期	n.	date
11	xíngli	行李	n.	luggage
12	chǎnpǐn	产品	n.	product
13	zhìliàng	质量	n.	quality

Notes

The complement of result

A word (an adj. /verb/prep.) used right after a verbal predicate to illustrate the result of an action is a complement of result.

e. g: tīng(listen) + dǒng(understand):

Wǒ tīngdǒng nǐ de huà le. (I understood your words.)

kàn(read) + dǒng(understand):

Wǒ néng kàndǒng Zhōngwén bào. (I can read Chinese newspaper.)

dǎ(dial) + cuò(wrong):

Nǐ dǎcuò diànhuà le. (You dialed wrong number.)

zhù(stay; live) + zài(at):

Tā zhù zài Běijīng Fàndiàn. (He stays in Beijing Hotel.)

LESSON 13

Sentences

1. Nǐ zhǎo shénme ne? What are you looking for?
   ——Wǒ zhǎo yàoshi. I am looking for the key.
   Nǐ zhǎodàole ma? Have you found it?
   ——Méi zhǎodào, dàgài diū le.
   No, I didn't find it. Probably it's missing.
2. Qìchē kāidào bànlù jiù huài le.
   The car was broken on the half way.
3. Xiānsheng, xíngli fàng zài nǎr?
   Where should I put the luggage, Sir?
   ——Qǐng fàng zài dì shàng.
   Please put it on the floor.
4. Wūzi lǐbian de kōngqì bú tài hǎo. Wǒ kěyǐ dǎ kāi chuānghu ma?
   The air in the room is not very good. May I open the window?
5. Zǒu de shíhou yídìng guānshàng dēng, guānshàng chuānghu, suǒhǎo mén.
   Be sure to turn off the light, close the window and lock the door when you leave.
6. Shéi ná zǒu wǒ de cídiǎn le?
   Who has taken my dictionary?
7. Shèngdànjié yào dào le. Nǐ xiǎng sònggěi tā shénme lǐwù?
   Christmas is coming. What gift do you want to give her?

——Wǒ yào sònggěi tā yí jiàn máoyī.

I am going to give her a woolen sweater.

8 Chúle nǐ hé wǒ, méiyǒu rén zhīdào zhè jiàn shì. Zhè shì mìmì.

Nobody knows about this matter except you and me. It is a secret.

9 Hǎojiǔ bú jiàn le. Nǐ shì bu shì xiūjià le?

Long time no see. Were you on a holiday?

——Búshì chūchāi, jiùshì kāihuì. Wǒ zhēn de méiyǒu shíjiān xiūxi.

I was either on a business trip or at a meeting. I really had no time to rest.

General expressions

Wènhòu (Greetings)

Hǎojiǔ bú jiàn le. Yíqiè dōu hǎo ma?

(Long time no see. Is everything OK with you?)

Nín jiā li rén dōu hǎo ma?

(How is your family?)

Nǐ zài Zhōngguó de shēnghuó zěnmeyàng?

(How is your life in China?)

Wèn nǐ fūrén hǎo.

(Say hello to your wife.)

Dialogue

A: Zuótiān nǐ kànjiàn wǒ gěi nǐ de tiáozile ma?

B: Kànjiàn le. Nín ràng wǒ qù fēijīchǎng jiē kèrén.
Wǒ jiāwán yóu jiù qù jīchǎng le.

A: Kěshì wǒmen de kèrén shuō, tā zài jīchǎng děngle hěn cháng shíjiān.

B: Shì de. Yǐqián wǒ méi jiànguo zhè wèi kèrén. Suǒyǐ, wǒ shǒu li názhe yí gè páizi, shàngbian xiězhe tā de míngzi.

A: Tā kànjiàn nǐle ma?

B: Jīchǎng de rén hěnduō. Kāishǐ méi kànjiàn, hòulái wǒ jiào tā de míngzi, cái zhǎodào tā.

A: Hòulái fāshēng shénme shì le?

B: Qìchē kāi dào bànlù jìu huài le. Xiūlǐle bàn gè xiǎoshí. Wǒmen huídào bàngōngshì yǐjing 7: 00 le. Nǐmen dōu zǒu le. Mén yě suǒshàng le. Suǒyǐ wǒ jiù sòng tā qù fàndiàn le.

A: Guàibude kèrén shuō, zuótiān tā juéde hěn lèi.

New Words

1	yàoshi	钥匙	n.	key
2	diū	丢	v.	lose
3	bànlù	半路	n.	half way
4	xíngli	行李	n.	luggage
5	dì	地	n.	floor; ground
6	wūzi	屋子	n.	room
7	kōngqì	空气	n.	air
8	lǐwù	礼物	n.	gift
9	máoyī	毛衣	n.	woolen sweater
10	chúle	除了	prep.	except

11	mìmì	秘密	n.	secret
12	hǎojiǔ bú jiàn	好久不见		long time no see
13	búshì…jiùshì…	不是……就是……	conj.	either . . . or . . .
14	wènhòu	问候	n.	greetings
15	yíqiè	一切	pron.	everything
16	shēnghuó	生活	n.	life
17	fūrén	夫人	n.	wife
18	tiáozi	条子	n.	a brief informal note
19	kāishǐ	开始	n.	beginning
20	hòulái	后来	conj.	afterwards; later
21	fāshēng	发生	v.	happen
22	guàibude	怪不得		no wonder

Word Study

1. “kàn”, “jiàn”, “huìjiàn”, “jiàndào” and “jiē”

(1) **“kàn”** means to visit, to see.

e. g: **Wǒ qù kàn péngyou.** (I go to see a friend.)

(2) **“jiàn”** means to meet, to come together by chance or arrangement.

e. g: **Xiàbān yǐhòu, wǒ qù jiàn wǒ de nǚpéngyou.**
(I will meet my girl friend after work.)
Wǒ bù xiǎng jiàn tā. (I don't want to see him)

(3) **“huìjiàn”** means to meet (someone), but very formal.

e. g: **Bùzhǎng xiānsheng jiāng huìjiàn dàibiǎo.**
(The Minister will meet the representatives.)

(4) **“jiàndào”** is composed of **“jiàn”** and the complement of result **“dào”**.

e. g: **Jiàndào nǐ, wǒ hěn gāoxìng.** (Nice to meet you.)
Wǒ qù jiàn zǒngjīnglǐ, dànshì tā bú zài. Wǒ méi jiàndào tā.
(I went to see the general manager. But he was not in. I didn't meet him.)

(5) **“jiē”** means to meet at the arrival of (someone), to welcome.

e. g: **Tā qù jīchǎng jiē kèrén.** (He goes to the airport to meet a guest.)

2. "zài" and "yòu"

Both "zài" and"yòu" are adverbs, meaning again, once more.
"yòu" is used for an action already occurred. "zài" for an action yet to take place.
e. g: **Wǒmen yòu jiànmiàn le.** (We met again.)
Yòu xiàyǔ le. (It rained again.)
Qǐng zài shuō yí biàn. (Say it again, please.)
Zàijiàn! (See you again! / Good-bye!)
Wǒ huì zài lái Běijīng de. (I will surely come to Beijing again.)

Idioms and expressions

Huó dào lǎo, xué dào lǎo
Wǒ de zhīshi hěn bú gòu. Wǒ bìxū "huó dào lǎo, xué dào lǎo."

Exercises

1. The following words are often used as a complement of result. Read aloud the combinations (It would be advisable to take the combinations as phrases).

(1) dào:

zhǎodào	mǎidào	shōudào	jiàndào
(find)	(buy and get)	(receive)	(meet)

kàndào = kànjiàn (see)
tīngdào = tīngjiàn (hear)

(2) dào + place/time:

zǒudào jiā (arrive home by foot)	huídào jiā (arrive back home)
kāidào bàngōngshì (drive and arrive at the office)	láidào Běijīng (come to Beijing)
xuédào dì 12 kè (study and reach lesson 12)	shuìdào 8: 00 (sleep till 8: 00)

(3) zài + locality:

fàng zài nàr (put there) zuò zài shāfā shàngbian, (sit on the sofa)

zhù zài fàndiàn (stay in a hotel) zhàn zài qiánbian (stand in the front)

(4) kāi: (open, seperate)

dǎkāi (open/turn on) kāikāi (open/turn on) zǒukāi (walk away)

(5) shàng

guānshàng (close/turn off) mǎnshàng [fill up (a cup)] chuānshàng [put on (clothes, shoes)]

(6) zǒu

jìzǒu (post out) názǒu (take away) dàizǒu (take away)

qízǒu (ride away) kāizǒu (drive away)

(7) gěi

sònggěi [give (something as a gift) to] jiāogěi (give to; hand over to) fāgěi (send to)

2. Substitution Drills

(1) Nǐ zhǎodào qiánbāole ma? ——Wǒ méi zhǎodào.

mǎi	jīpiào	mǎi
shōu	wǒ de xìn	shōu
jiàn	lǎobǎn	jiàn
kàn	wǒ de yàoshi	kàn
tīng	zhè gè xiāoxi	tīng

(2) Wǒ xuédào dì 13 kè .

zǒu	Tiān'ānmén
pǎo	bàngōngshì
huí	zǔguó
fēi	Guǎngzhōu
shuì	zhōngwǔ

(3) Búyào fàng zài nàr ! Qǐng fàng zài guìzi lǐbian .

zhàn	nàr	zuò	zhèr
xiě	shū shang	xiě	zhǐ shang
guà	nàr	bǎi	zhuōzi shang

(4) Qǐng dǎkāi chuānghu .

kāi kōngtiáo

dǎ diànnǎo

dǎ zhè píng jiǔ

dǎ bǎoxiǎnguì

dǎ xíngli

(5) Nǐ yīnggāi guānshàng shǒujī .

guān kōngtiáo

guān diànnǎo

chuān dàyī

mǎn zhè bēi (jiǔ)

(6) Wǒmen jiāogěi shuìwùjú 20, 000 Yuán de shuì.

sòng tā hěnduō lǐwù

fā tā yí fèn chuánzhēn

jiè tāmen yì tái diànnǎo

huán yínháng 1, 000, 000 Yuan de dàikuǎn

(7) Tā kāizǒu wǒ de qìchē le.

qí zìxíngchē

ná hétong

jì Shèngdànjié hèkǎ

(8) Chúle wǒ , tāmen dōu shì Zhōngguórén .

huì shuō Hànyǔ

tóngyì zhè gè jìhuà

xiàbān le

yǒu qìchē

(9) Wǒ guān chuānghu le, dànshì méi guānshàng.

suǒ mén suǒshàng

hé tāmen liánxì liánxìshàng

qù mǎi jīpiào mǎidào

cā zhuōzi cā gānjìng

xǐ yīfu xǐ gānjìng

(10) Tā búshì Déguórén , jiùshì Hélánrén .

Rìběnrén Hánguórén

zài Xiānggǎng zài Shànghǎi

xiūjià qǐngjià le

Zuìjìn xià yǔ yǒu wù

guāfēng xiàxuě

(11) Tā bú huì Hànyǔ, guàibude tā bù dǒng wǒ shuō de.

Tā zhèngzài xiūjià	tā méi lái shàngbān
Qìchē huài le	tā láiwǎn le
Tā yào jiéhūn le	nàme gāoxìng
Tā měi tiān cānjiā yànhuì	yuèlái yuè pàng

3. Translate the following into Chinese (use the words in brackets).

(1) I met her in the street yesterday. **(jiàndào, zài lù shang)**

(2) The car was broken when we drove to the toll gate. **(kāidào, shōufèizhàn)**

(3) Please take away the old newspaper. **(názǒu)**

(4) Have you found a good job? **(zhǎodào)**

(5) Please turn off your mobile phone. **(guānshàng)**

(6) Please open your suitcase. **(dǎkāi, bāo)**

(7) I stay in an apartment building. **(zhù zài, gōngyù)**

(8) Where should I put the flowers? **(huār, fàng zài)**

(9) Everyday I work till 8:00 in the evening. **(gōngzuò dào)**

(10) I want to give her a bunch of flowers. **(sònggěi, yí shù huār)**

(11) Have you bought the book you want? **(mǎidào, nǐ yào de)**

(12) I didn't find his address. **(zhǎodào, dìzhǐ)**

(13) I lent him a novel but he did not return it to me. **(jiègěi, huángěi)**

(14) Please sit here. **(zuò zài)**

(15) I have received your E-mail. **(shōu dào)**

4. Chose the correct word in the bracket to fill in the blanks.

(kàn, jiàn, huìjiàn, jiàndào, jiē)

(1) Tā bìng le. Wǒ míngtiān qù yīyuàn ______ tā.

(2) Wǒ yào qù jīchǎng ______ zǒngjīnglǐ.

(3) Míngtiān ______!

(4) Wǒ yào ______ nǐmen jīnglǐ.

(5) Wǒmen zhèngzài kāihuì, méi yǒu shíjiān ______ tā.

(6) Zuótiān zài yànhuì shang, wǒ ______ le yí gè lǎo péngyou.

(7) Zǒnglǐ xiānsheng ______ le wǒmen gōngsī de dàibiǎo.

(8) ______ nǐ, wǒ hěn gāoxìng.

5. Chose the correct word in the bracket to fill in the blanks.

(yòu, zài)

(1) Hěn gāoxìng______jiàndào nǐ.

(2) Wǒmen míngtiān______tán zhè gè wèntí, kěyǐ ma?

(3) Wǒ méi tīng qīngchu, qǐng nǐ_____shuō yí biàn.

(4) Tā_____chūchāi le.

(5) Nǐ_____hē duō le.

(6) Xiànzài jīnglǐ bú zài. Qǐng xiàwǔ______dǎ diànhuà.

6. Translate the English in the brackets of "Sentences" into Chinese orally.

Reference Words

1	Huódào lǎo, xuédào lǎo.	活到老,学到老。		
	Keep on learning as long as you live. One is never too old to learn.			
2	zhīshi	知识	n.	knowledge
3	zǔguó	祖国	n.	motherland
4	mǎnshàng	满上	v.	fill up (a cup)
5	fēi	飞	v.	fly
6	jiāogěi	交给	v.	hand over to
7	shuì	税	n.	tax
8	jiègěi	借给	v.	lend to
9	huángěi	还给	v.	return (something) to
10	dàikuǎn	贷款	n.	loan
11	hèkǎ	贺卡	n.	(New year/Christmas/birthday) card
12	jìhuà	计划	n.	plan
13	cā	擦	v.	wipe
14	xǐ	洗	v.	wash
15	Hélánrén	荷兰人	n.	Dutch
16	Hánguórén	韩国人	n.	Korean
17	zǒnglǐ	总理	n.	prime minister

LESSON 14

Sentences

1. Wǒ chūqù yíxiàr, sì diǎn zhōng yǐqián huílái.
   I am going out and will be back before 4 o' clock.
2. Xiǎo Wáng! Chūlái yíxiàr, qǐng bāng(zhù) wǒ ná yíxiàr xíngli.
   Little Wang! Come out and help me with my luggage, please.
3. Wǒ gěi nǐ dàilái yí jiàn xiǎo lǐwù, qǐng yídìng shōuxià.
   I bring you a small gift. Be sure to take it, please.
4. Wǒ zuò diàntī shànglái, dànshì tā gāng xiàqù. Wǒ méi jiàndào tā.
   I came up by lift, but he just went down. I did not meet him.
5. Wǒ gāng yào jìn bàngōngshì, tā chūlái le.
   As I was going to enter the office, he came out.
6. Wǒ yǐjīng zài Zhōngguó gōngzuò liǎng nián le.
   Míngnián wǒ zhǔnbèi huí Yīngguó qù.
   I have been working in China for two years.
   I'll prepare to return to Britain next year.
7. Wǒ shì qiánnián lái Zhōngguó gōngzuò de.
   It was the year before last that I came to China to work.
8. Wàibian zhèngzài xiàyǔ. Nǐ zěnme lái de?
   It is raining outside. How did you come?

   ——Wǒ (shì) zuò chē lái de.
   I came by car.
9. Wǒ shì zài Shànghǎi rènshi tā de.
   It was in Shanghai that I got to know him.

10 **Tā búdàn huì kāi qìchē, érqiě huì kāi fēijī.**
He not only can drive a car but pilot a plane as well.

General expressions

Tiānqì (Weather)

Zuìjìn tiānqì zhēn hǎo. (It has been fine.)
Jīntiān tiānqì bǐ zuótiān hǎo. (It's better than yesterday.)
Bàngwǎn yǒu zhènyǔ. (There will be a shower towards evening.)
Jīntiān yīn zhuǎn duōyún. (Today it will be overcast and turn cloudy later.)
Jīntiān mēnrè. (It's muggy today.)
Zhèxiē nián qìhòu biànhuà hěn dà. (The climate changes a lot in the past few years.)

Dialogue

Dǎ Diànhuà

A: Wéi! Xiǎo Wáng, wǒ xiànzài zài lóu xià. Wǒ gěi nǐ dàilái yì fēng xìn. Nǐ xiàlái ná, hǎo bu hǎo?
B: Nǐ wèishénme bú shànglái ne? Shànglái ba, zài wǒ zhèr zuò yíhuìr, hē (yì) bēi kāfēi.

A: Bù le, xièxie. Diàntī huài le. Nǐmen de bànggōngshì zài 23 lóu, tài gāo le.

B: Zhēn jiàn guǐ! Diàntī yòu huài le! Wǒ mǎshàng jiù xiàqù. Qǐng děng wǒ.

Jiàn Wàiguó Péngyou

A: Jiàndào nǐ wǒ hěn gāoxìng. Wǒ shì xiǎo Wáng.

B: Nǐ hǎo, Wáng xiānsheng. Wǒmen shì dì yì cì jiànmiàn. Wǒ de Zhōngwén míngzi shì Mǎ Yīng, "mǎdàhā" de Mǎ, "Yīngguó" de yīng.

A: Nǐ de Hànyǔ zhēn búcuò. Nǐ zài nǎr xué de?

B: Wǒ shì zài Běijīng Dàxué xué de. Nǐ zài zhè gè gōngsī gōngzuò hěnduō niánle ma?

A: Shì de. Wǒ shì 1998 nián kāishǐ zài zhè gè gōngsī gōngzuò de. Nǐ shì yí gè rén lái Běijīng de ma?

B: Bù, wǒ shì hé wǒ àirén yìqǐ lái de. Wǒmen dǎsuan zài Běijīng dāi yí gè xīngqī zuǒyòu. Wǒ shì lái cānjiā yántǎohuì de. Tā shì lái wánr de.

A: Rúguǒ xūyào wǒ de bāngzhù, qǐng gàosù wǒ, bié kèqi.

B: Fēicháng gǎnxiè. Yǒu shì, wǒ dǎ nǐ de shǒujī.

Lesson 14

New Words

No.	Pinyin	Chinese	Part of speech	Meaning
1	shōuxià	收下	v.	accept (something offered as a gift)
2	diàntī	电梯	n.	lift ; elevator
3	shì…de	是……的		a sentence construction for emphasis
4	búdàn…érqiě…	不但……而且……	conj.	not only…but also…
5	bàngwǎn	傍晚	n.	toward evening; at dusk
6	zhènyǔ	阵雨	n.	shower (a fall of rain lasting a short time)
7	duōyún	多云	adj.	cloudy
8	mēnrè	闷热	adj.	muggy; hot and suffocating
9	qìhòu	气候	n.	climate
10	biànhuà	变化	n.	change
11	guǐ	鬼	n.	ghost
12	dàxué	大学	n.	university
13	dāi	呆	v.	stay (informal)
14	zuǒyòu	左右		a particle (used after a numeral) about; or so

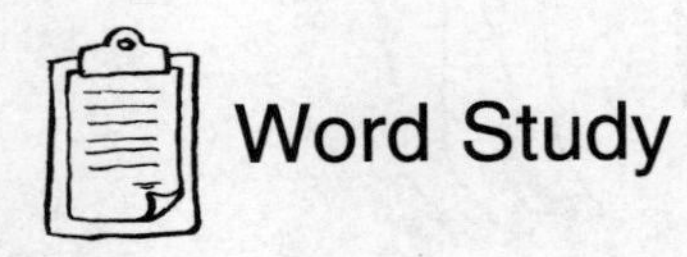

Word Study

"dàgài", "chàbuduō" and "zuǒyòu"

To give an approximate price, amount, number or time, "dàgài" or "chàbuduō" is placed before them, while "zuǒyòu" should be placed after them.

e. g: Zhè tái diànnǎo dàgài 10, 000 Kuài qián.

Zhè tái diànnǎo chàbuduō 10, 000 Kuài qián.

Zhè tái diànnǎo 10, 000 Kuà qián zuǒyòu.

Tā dàgài 4: 00 huílái.

Tā chàbuduō 4: 00 huílái.

Tā 4: 00 zuǒyòu huílái.

Idioms and expressions

jiǔ féng zhījǐ qiān bēi shǎo

"Mǎnshang, mǎnshang! Zài lái yì bēi! 'Jiǔ féng zhījǐ qiān bēi shǎo.' ma."

"Zhōngguórén shuō: 'Jiǔ féng zhījǐ qiān bēi shǎo.' Nǐ gāng hēle liǎng bēi, zài lái yì bēi!"

Exercises

1. Read aloud the combinations: a verb + lái/ qù (It would be advis able to take the combinations as phrases).

(1) **shànglái** **shàngqù,** **xiàlái** **xiàqù,**
(come up go up, come down go down,)
chūlái **chūqù,** **jìnlái** **jìnqù,**
(come out go out, come in go into,)
huílái **huíqù,** **guòlái** **guòqù.**
(come back go back, come over go over.)

(2) **dàilái** **dàiqù,**
[bring to (the speaker) take to (someone else)]
nálái **náqù,**
[bring to (the speaker) take to (someone slse)]
sònglái **sòngqù,**
[deliver/carry to (the speaker) deliver/carry to (someone else)]
fālái **fāqù.**
[send to (the speaker) send to (someone else)]
jìlái **jìqù**
[mail to (the speaker) mail to (someone else)]

2. Substitution Drills

(1) Xià xīngqī tā huílái .
jiā lái
qù
guó qù

(2) Tā bú zài. Tā chūqù le.

xià

xià lóu

shàng yínháng (= Tā qù yínháng le)

shàng shuìwùjú (= Tā qù shuìwùjú le)

(3) Wǒ zài lóuxià. Tā ràng wǒ shàngqù zuò yíhuìr.

jiā li	chū	zǒu yi zǒu
wàibian	jìn	tán
bànggōngshì	huí	xiūxi

(4) Tā gěi wǒ fālái yí fèn chuánzhēn .

sòng	yì fēng qǐngjiǎn
dài	yìxiē cáiliào
ná	yì bēi kāfēi

(5) Wǒ gèi tā dài qù yìxiē shuǐguǒ .

dài	yí jiàn lǐwù
sòng	fēijīpiào
fā	E-mail
jì	yì fēng xìn

(6) Wǒ shì qùnián lái Zhōngguó de.

rènshi tā

kāishǐ xuéxí Hànyǔ

xuéhuì kāi qìchē

mǎi

(7) Nǐ shì zěnme lái de? —— Wǒ shì zuò fēijī lái de.

zuò huǒchē

zuò (qì)chē

kāi chē

zǒuzhe

(8) Wǒ shì zài Shànghǎi jiàndào tā de.

zài Běijīng	rènshi tā
zài Běijīng	chūshēng
zài nà gè shāngdiàn	mǎi
cóng bàngōngshì	ná
cóng Déguó	lái

(9) Wǒ bú shì zuò fēijī lái de, wǒ zuò huǒchē lái de.

zuò chē	zǒuzhe
zuò chē	kāi (qì)chē

zuótiān　　qiántiān
9:00　　8:00

(10) Tā búdàn huì kāi qìchē, érqiě huì xiūlǐ qìchē.
néng shuō Yīngyǔ　　néng shuō Fǎyǔ
nǔlì gōngzuò　　nǔlì xuéxí
piàoliang　　cōngming
píqi hǎo　　fēicháng yōumò

3. Fill in the blanks with "lái" or "qù".

(1) Wǒ zài bàngōngshì lǐbian. Wǒ qǐng kèrén jìn_____.
(2) Wǒ zài bàngōngshì wàibian. Wǒ qǐng kèrén jìn_____.
(3) Wǒ zài lóushàng. Wǒ xià_____jiē kèrén.
(4) Wǒ dǎ diànhuà gàosù wǒ àirén, wǒ 10:30 cái néng huí jiā_____.
(5) Tāmen gěi wò fā_____yí fèn chuánzhēn.
(6) Nǐ dài_____wǒ yào de zīliào le ma?
(7) Nǐ gěi tāmen dài_____shénme lǐwù le?
(8) Xiǎojiě! Qǐng gěi wǒ ná_____liǎng gè kōng bēizi.

4. Translate the following into Chinese using "shì . . . de".

(1) It was in 2001 that I started to work in this company.
(2) I arrived at 6:00.
(3) He came by train.
(4) The symposium was held in Shanghai.
(5) We had our dinner at a Chinese restaurant.

5. Answer questions.

(1) Nǐ měitiān jǐ diǎn cóng jiā chūlái? Jǐ diǎn huíqù?
(2) Shèngdànjié kuài dào le. Nǐ nǎ tiān huíguó qù?
(3) Nǐ gěi tāmen dài shénme lǐwù qù?
(4) Xià yuè nǐ nǎ tiān chūchāi? Nǎ tiān huílái?
(5) Nǐ sòng qù qǐngjiǎnle ma?
(6) Nǐ dàilái duōshao qián?
(7) Chīwán fàn wǒmen chūqù zǒu yi zǒu, hǎo ma?
(8) Nà gè gōngsī sònglái de lǐwù zài nǎr? Rúguǒ nǐ xǐhuan, nǐ ná qù ba.
(9) Nǐ xià qù kàn yi kàn kèrén lái méi lái, hǎo ma?
(10) Nǐ shénme shíhou shànglái de? Wǒ méi kànjiàn nǐ. Duìbuqǐ.

(11) Nǐ shì nǎ nián lái Běijīng de?
(12) Nǐ shì zěnm zhīdào wǒ zài zhè gè gōngsī gōngzuò de?
(13) Nǐ shì zǎi nǎr chūshēng de?
(14) Nǐ shì gāng cóng Měiguó huílái de ma?
(15) Nǐmen shì zěnme rènshi de?
(16) Nǐ shì kāi chē qù de Chángchéng ma?

6. Make two sentences with " búdàn… érqiě…".

7. Make sentences with " dàgài", " chàbuduō" or " zuǒyòu" respectively.

8. Translate the English in the brackets of " ✌ Sentences" into Chinese orally.

Reference Words

1	féng	逢	v.	come upon
2	zhījǐ	知己	n.	an intimate friend
3	Jiǔ féng zhījǐ qiān bēi shǎo.	酒逢知己千杯少。		
	Drinking with a congenial friend, a thousand toasts are too few.			
4	jì	寄	v.	mail, post
5	cáiliào	材料	n.	material
6	zīliào	资料	n.	data; information; material
7	kōng	空	adj.	empty
8	chūshēng	出生	v.	be born

Notes

1. lái qù

"lái" or "qù" used after certain verbs to show the direction of an action is a complement of direction.

"lái" indicates that the action goes towards the speaker.

"qù" indicates that the action goes away from the speaker.

e. g: **Tā bú zài bàngōngshì. Tā chūqù le, xiàwǔ huílái.**

(He is not in the office. He went out and will be back in the afternoon.
——The speaker is inside the office.)

Tā shàng lóu qù le, yíhuìr jiù xiàlái.

(He went upstairs and will come down soon. ——The speaker is downstairs.)

When the verbal predicate takes an object of locality, "**lái**" or "**qù**" should be put after the object.

e. g: **Xià xīngqī wǒ huí Měiguó qù.**

(I will go back to the United States. ——The speaker is an American and not in the U. S.)

If the object is not a word of locality, "**lái**" or "**qù**" can be put either before or after the object.

e. g: **Tā dài lái yìxiē táng.**

Tā dài yìxiē táng lái.

(He brings some candies.)

2. shì. . . de

"**shì . . . de**" construction

This construction is used to emphasize and explain "when, where or how" an action did take place.

"**shì**" should be placed before the part stressed, while "**de**" is generally put at the end of the sentence.

e. g: **Tā shì qùnián lái Zhōngguó de.**

(It was last year that he came to China.)

Wǒ shì zài Xiānggáng mǎi de.

(It was in Hong Kong that I bought it.)

Tāmen shì zuò fēijī lái de.

(They came by plane.)

In an affirmative sentence, "**shì**" can be omitted.

e. g: **Tāmen zuò fēijī lái de.** (They came by plane.)

Wǒ zài Běijīng chūshēng de. (I was born in Beijing.)

LESSON 15

Sentences

1. **Tā bǎ qìchē xiūlǐ hǎo le. (Compare with: Tā xiūlǐ hǎo qìchē le.)**
   He's repaired the car.
2. **Wǒ bǎ shū gěi tā le.**
   I gave him the book.
3. **Nǐ bǎ chǎnpǐn mùlù dàiláile ma?**
   Have you brought me the catalogue?
4. **Qǐng nǐ bǎ hétong nèiróng zǐxì kàn yi kàn.**
   Please read the contents of the contract carefully.
5. **Wǒ méi bǎ zhè jiàn shì gàosù nǐ, pà nǐ bù gāoxìng.**
   I did not tell you about it for fear that you would feel unhappy.
6. **Qǐng nǐ bǎ zhèxiē zīliào gěi Wáng zǒng(jīnglǐ) jìqù. Bié bǎ dìzhì nòngcuò le.**
   Please mail the material to general manager Wang. Don't mistake the address.
7. **Nǐ bǎ huār fàng zài nǎr le?**
   where did you put the flowers?

   ——Wǒ bǎ huār fàng zài huāpíng li le.
   I put them in a flower vase.
8. **Nǐ yídìng yào bǎ qǐngjiǎn sòngdào nà gè gōngsī, jiāogěi Wáng xiǎojiě.**
   Be sure to deliver the invitation to that company and give it to Miss Wang.
9. **Míngtiān wǒ yídìng bǎ bàogào xiěwán. Bù bǎ bàogào xiěwán, wǒ bú xiàbān.**
   I will finish the report tomorrow for sure. I won't leave the office if I fail to do so.
10. **Yǐqián Zhōngguórén bǎ Máo Zhǔxí bǐzuò tàiyáng.**
    Chinese people used to compare Chairman Mao to the sun.

Lesson 15

General expressions

Bàoyuàn (Complaint)

Yòu dǔchē le. (There is a traffic jam again.)

Kōngqì wūrǎn hěn lìhai. (The air pollution is terrible.)

Wǒ hěn bù mǎnyì. (This is most unsatisfactory.)

Zhè gè cài tài xián le. (This dish is too salty.)

Wǒmen děng de shíjiān tài cháng le. (We've been kept waiting too long.)

Hěn yíhàn, zhàngdān bú duì. (I'm sorry, the bill is not correct.)

Yīfu méi xǐ gānjìng. (You didn't wash the clothes clean.)

Duì zhè jiàn shì wǒ hěn shēngqì. (I'm very annoyed about it.)

Dialogue

A: Xiǎo Zhāng, nǐ kěyǐ gàosù wǒ, nǐ shǔ shénme ma?

B: Wǒ shǔ lóng, wǒ shì lóngnián chūshēng de.

A: Tīngshuō, shǔ lóng de rén zài shìyè shang huì chénggōng.

B: Shéi zhīdào ne? Yǐqián Zhōngguórén shuō, huángdì jiù shì lóng, shì tiān de érzi. Rénmen cháng bǎ shìyè shang chénggōng de rén bǐzuò lóng.

A: Shíèr shēngxiāo dōu shì shénme ne?

B: Zhè shíèr zhǒng dòngwù shì: shǔ, níu, hǔ, tù, lóng, shé, mǎ, yáng, hóur, jī, gǒu, zhū.

A: Měi zhǒng dòngwù dōu yǒu tèbié de yìsi ma?

B: Yǒu de dòngwù yǒu tèbié de yìsi, yǒu de méiyǒu. Rénmen cháng bǎ yí gè táoqì de háizi bǐzuò hóur, dànshì, shǔ hóur de háizi bù yídìng dōu táoqì.

A: Wàiguórén bǎ Zhōngguó bǐzuò lóng.

B: Zhè shì yì tiáo dà lóng. Nǐ kěyǐ bǎ zhǐ zhīdào nǔlì gōngzuò de rén bǐzuò niú, bǎ lìhai de nǚrén bǐzuò lǎohǔ.

A: Nǐmen bǎ yúchǔn de rén bǐzuò shénme?

B: Hé nǐmen yíyàng, wǒmen yě bǎ yúchǔn de rén bǐzuò lǘ.

A: Nǐmen bǎ piàoliang de nǚrén bǐzuò shénme ne?

B: Wǒmen bǎ piàoliang de nǚrén bǐzuò Xīshī. Xīshī shì Zhōngguó gǔ shíhou yǒumíng de měinǚ.

A: Wǒ míngbai le. Jīntiān wǒ yào duì wǒ àirén shuō: "Nǐ fēicháng piàoliang, xiàng Xīshī."

B: Duì, zhè jiào"Qíngrén yǎn zhong chū Xīshī".

New Words

1	bǎ	把	prep.	used in a bǎ-type sentence
2	chǎnpǐn	产品	n.	product
3	mùlù	目录	n.	catalogue
4	nèiróng	内容	n.	content
5	zǐxì	仔细	adj.	careful
6	pà	怕	v.	fear; be afraid of
7	nòngcuò	弄错	v.	mistake; make a mistake
8	huāpíng	花瓶	n.	flower vase

9	Máo Zhǔxí	毛主席	n.	Chairman Mao (the former Chinese leader)
10	bǐzuò	比作	v.	compare to
11	tàiyáng	太阳	n.	the sun
12	bàoyuàn	抱怨	v./n.	complain/complaint
13	dǔchē	堵车	n./v.	traffic jam
14	wūrǎn	污染	n./v.	pollution/pollute
15	lìhai	厉害	adj.	serious; terrible; (of a person) harsh
16	zhàngdān	账单	n.	bill
17	shǔ	属	v.	be born in the year of (one of the 12 symbolic animals)
18	lóng	龙	n.	dragon
19	shìyè	事业	n.	career
20	huángdì	皇帝	n.	emperor
21	shēngxiāo	生肖	n.	the animals used to symbolize the year in which one is born
22	zhǒng	种	measure word	sort; kind
23	(lǎo)shǔ	(老)鼠	n.	mouse; rat
24	niú	牛	n.	ox
25	(lǎo)hǔ	(老)虎	n.	tiger
26	tù(zi)	兔(子)	n.	hare; rabbit
27	shé	蛇	n.	snake
28	mǎ	马	n.	horse
29	yáng	羊	n.	goat; sheep
30	hóur/hóuzi	猴儿/猴子	n.	monkey
31	zhū	猪	n.	pig
32	tèbié	特别	adj.	special
33	táoqì	淘气	adj.	naughty; mischievous
34	yúchǔn	愚蠢	adj.	stupid; foolish
35	lǘ	驴	n.	donkey
36	gǔ	古		ancient
37	měinǚ	美女	n.	a beautiful women; a beauty
38	xiàng	像	v.	be like, resemble
39	qíngrén yǎn zhong chū Xīshī	情人眼中出西施		

Beauty is in the eye of the be holder.

qíngrén	情人	n.	lover
yǎn	眼	n.	eye
zhōng	中	n.	in (used after a noun, indicating the inside of an object)
chū	出	v.	go/come out
Xīshī	西施	n.	the name of a beauty in ancient time

Word Study

"ma"(吗)、"ma"(嘛)、"ne" and "ba"

1. "ma" (吗) is used at the end of a declarative sentence to form a general question.

e. g: Nǐ huì shuō Yīngyǔ ma?

2. "ma" (嘛) is used at the end of a declarative sentence to express that the reason or fact is obvious.

e. g: Tā de gōngzī dāngrán bǐ wǒ gāo. Tā shì CEO ma.
Zhè shì gōngsī de guīdìng ma.

3. "ne" is used at the end of a question to soften the tone. It can also be placed after a n. /pron. to form a brief question, meaning "how about".

e. g: Tā wèishénme méi lái shàngbān ne?
Wǒ shēntǐ hěn hǎo. Nǐ ne?

4. "ba" is used at the end of a sentence to express a tone of request, suggestion or approval. It can also be used to replace "ma" (吗) to form a question expecting an affirmative answer.

e. g: Zhè xīngqī tài máng. Nǎ xià xīngqī xiūjià ba.
Míngtiān zánmen qù Chángchéng ba.
——Hǎo ba.
Nǐ huì shuō Yīngyǔ ba?
Nín shì Wáng jīnglǐ ba?

Idioms and expressions

tìzuìyáng

Zài zhè jiàn shì zhong, tā shì tìzuìyāng.
Tā bù xiǎng fùzé. Tā zǒngshì xiǎng zhǎo tìzuìyáng.

Lesson 15

Exercises

1. Change the following sentences into "bǎ" sentences.

e. g: Wǒ hē niúnǎi le. ——Wǒ bǎ niúnǎi hē le.

(1) Nǐ xiě cuò dìzhǐ le.
(2) Bié xiě cuò dìzhǐ.
(3) Wǒ méi xiě cuò dìzhǐ.
(4) Nǐ ānpái hǎo huìyì rìchéngle ma?
(5) Qǐng dǎkāi chuānghu.
(6) Tā zhǎodào yàoshi le.
(7) Qǐng xiūlǐ yíxiàr diàndēng.
(8) Tā fālái chuánzhēn le.
(9) Qǐng sòngqù zhè fēng qǐngjiǎn.
(10) Wǒ yào sònggěi tā zhè jiàn lǐwù.

2. Make "bǎ" sentences with the words given.

(1) bǎ wǒ chī miànbāo le
(2) bǎ tā shū kànwán le
(3) bǎ qǐng dàilái hùzhào
(4) bǎ nǐ zhè jiàn shì tā gàosù le ma
(5) bǎ kōngtiáo yíxiàr kāi qǐng

3. Substitution Drills

(1) Wǒ bǎ zhè bēi jiǔ hē le.

zhè bēi jiǔ	hē
zhè gè miànbāo	chī
zhè fèn hétong	fānyì wán
nà wèi kèrén	sòngzǒu
nà tái diànnǎo	xiūlǐ hǎo

(2) Nǐ méi bǎ qìchē xiūlǐ hǎo.

qìchē	xiūlǐ hǎo
mén	guānshàng
yīfu	názǒu
xìn	dàilái
yào	chīwán

(3) Nǐ bǎ zīliào dàiláile ma?

cáiliào dàilái
hétong nálái
qǐngjiǎn sòngqù
lǐwù sòngqù

(4) Qǐng bǎ mén guānshàng .

dēng guānshàng
shǒujī guānshàng
xiāngzi dǎkāi
qián dàihǎo

(5) Wǒ bǎ shū fàng zài zhuōzi shang le.

shǒujī fàng bāo li
dìtú guà qiáng shang
yīfu guà yījià shang
huā bǎi chuāngtái shang
qìchē tíng mǎlù pángbian

(6) Nǐ yīnggāi bǎ júzi pí rēngdào lājītǒng li .

fèizhǐ rēng lājītǒng li
kèrén sòng fēijīchǎng
tā sòng jiā
xiànjīn sòng yínháng
qìchē kāi tíngchēchǎng

(7) Wǒ xiǎng bǎ Wáng xiǎojiě jièshào gěi nǐ .

nǐ jièshào tā
zhè běn shū sòng tā
zhèxiē zīliào jì kèhù
zhèxiē cáiliào jiāo jīnglǐ
suǒyǒu de qián jiāo tàitai

(8) Rénmen bǎ háizi bǐzuò huāduǒ .

dǎnxiǎo de rén tùzi
jiǎohuá de rén húli
chán de rén māo

4. Change the sentences (1) to (4) in the substitution drills into sentences without "bǎ".

e. g: Wǒ bǎ zhè bēi jiǔ hē le. —— Wǒ hēle zhè bēi jiǔ le.

5. Read aloud the sentences (5) to (8) in the substitution drills. "bǎ" must be applied in these sentences.

6. Answer questions.

(1) Nǐ bǎ zhè běn shū xuéwánle ma?
(2) Nǐ bǎ kāihuì shíjiān tōngzhī tāmenle ma?
(3) Nǐ bǎ E-mail fāgěi kèhùle méiyou?
(4) Nǐ bǎ hétong fàngzài nǎr le?
(5) Nǐ bǎ chē tīngzài shénme dìfang le?
(6) Nǐ bǎ zīliào jiāogěi shéi le?
(7) Nǐ bǎ bǎoxiǎnguì suǒhǎole ma?
(8) Nǐ bǎ wǒ de xīn shǒujī hào gàosù tāle ma?
(9) Nǐ bǎ kèrén sòng dào fàndiànle ma?
(10) Nǐ bǎ jīpiào jiāogěi tā méiyou?

7. Translate the English in the brackets of "✌ Sentences" into Chinese orally.

Reference Words

1	gōngzī	工资	n.	salary
2	guīdìng	规定	n.	regulation; rule
3	tìzuìyáng	替罪羊	n.	scapegoat
4	fùzé	负责	v.	take responsibilities; be responsible for
5	fānyì	翻译	v./n.	translate/ translation; translator
6	chuāngtái	窗台	n.	windowsill
7	rēng	扔	v.	throw away; cast aside
8	lājītǒng	垃圾桶	n.	garbage can
9	fèi	废	adj.	waste; useless
10	huāduǒ	花朵	n.	flower
11	dǎnxiǎo	胆小	adj.	timid
12	jiǎohuá	狡猾	adj.	sly
13	húli	狐狸	n.	fox
14	chán	馋	adj.	gluttonous

15	kèhù	客户	n.	client

Notes

bǎ

"bǎ" – type sentence: S. + bǎ + O. + V. + other elements

1. The noun/pron. following "bǎ" is the object of the verbal predicate.

2. The verb must be a transitive one which indicates an action of "disposing of something or somebody".

3. The"bǎ" sentence is to emphasize how a person or thing is dealt with or affected which is expressed by "other elements" such as"le", "yíxiàr" or a complement of result/direction.

e. g: Wǒ bǎ niúnǎi hē le. (Compare with: Wǒ hē niúnǎi le.)
(I have drank the milk. – with the emphasis on "hē le".)
Tā bǎ bàogào xiěwán le. (Compare with: Tā xiě wán bàogào le.)
(He finished writing the report. – with the emphasis on "xiě wán".)
Qǐng bǎ hùzhào gěi wǒ kàn yíxiàr/kànkan. .
(Show me the passport, please.)
Wǒ bǎ shū fàng zài zhuōzi shang le.
(I put the book on the desk.)
Tā bǎ cáiliào gěi wǒ dàilái le.
(He brought me the material.)

4. "bǎ" can not be applied to the simplest structure of "S. + V. + O. "

e. g: Wǒ kàn xiǎoshuō. (I read a novel.)
Wrong: Wǒ bǎ xiǎoshuō kàn.

5. In a "bǎ" sentence, the object is a particular one rather than a general one.

e. g: Tā bǎ zhè jiàn shì gàosù wǒ le.
(He informed me of this matter.)
Wrong: Tā bǎ yí jiàn shì gàosù wǒ le.
Correct: Tā gàosu wǒ yí jiàn shì.
(He informed me of a matter.)

LESSON 16

(Review)

1. Translate the following into Chinese using the words in brackets.

1) It is raining outside. (zhèngzài)
2) It has stopped raining. (le)
3) Last week I went to Xi'an. (le)
4) Last week I was in Xi'an. (zài)
5) We bought two new cars. (le)
6) We've signed that contract. (le, le)
7) I have met him before. (guo)
8) What are you holding in your hand? (zhe)
9) Our company will invest in China. (jiāng)
10) He is going to retire. (yào ... le)
11) Our business is getting better and better. (yuèlái yuè)
12) As soon as I finish writing the report I will go home. (xiě, wán, yī ... jiù ...)
13) We can finish the repair tomorrow. (xiūlǐ, hǎo)
14) Have you brought me the photos? (dài, lái)
15) I have put your luggage in the car. (bǎ, fàng, zài, le)

2. Word Study

1) The summary of some prepositions

(1) gěi: for, to

e. g: Dào nàr yǐhòu, wǒ gěi nǐ dǎ diànhuà.

Tā qù gěi háizi mǎi Shèngdànjié lǐwù.

Compare with: Wǒ gěi tā yì zhī bǐ.

(2) hé: with

e. g: Nǐ zuìhǎo hé lǎobǎn tán zhè jiàn shì.

Wǒ yǐjīng hé tāmen liánxì le.

Compare with: Tā hé wǒ dōu shì Běijīngrén.

(3) zài: at, in

e. g: Wǒ zài IBM gōngsī gōngzuó.

Nǐ zài nǎr zhù?

Compare with: Tā bú zài bàngōngshì. Tā chūqù le.

Shū zài zhuōzi shàngbian. / Shū zài zhuōzi shang.

Xíngli zài guìzi lǐbian. / Xīngli zài guìzi li.

(4) duì: towards, with

e. g: Wǒ duì hétong hén mǎnyì.

Wǒ duì tā shuō: "Gōngxǐ fācái! "

(5) wàng: towards (indicating a direction)

e. g: Dào xià yí gè lùkǒu, qǐng wǎng yòu guǎi.

Yìzhí wǎng běi zǒu!

(6) cóng: from

e. g: Nǐ cóng nǎlǐ lái?

Cóng míngtiān kāishǐ, wǒmen 9: 00 shàngbān.

(7) cóng ... dào: from ... to

e. g: Cóng Shànghǎi dào Běijīng yòng duōcháng shíjiān?

Cóng Shíyuè yī hào dào qī hào, wǒmen xiūxi.

(8) lí: away, from

e. g: Zhèlǐ lí Tiān' ānmén bú tài yuǎn.

Bàngōngshì lí fēijīchǎng 15 gōnglǐ.

2) "cì" and "biàn"

Both "cì" and "biàn" are measure words for actions.

"cì" is applied to actions which occurred or may occur repeatedly, indicating the frequency.

e. g: Zuótiān wǎnshang wǒ gěi nǐ dǎle liǎng cì diànhuà,

dànshì nǐ bǎ shǒujī guān le.

(I called you twice last night, but you switched off your mobile phone.)

Zhè shì wǒ dì yī cì cānguān zhè gè bówùguǎn.

(This is my first time to visit this museum.)

Tā yì tiān chī sān cì yào.

(He takes his medicine 3 times a day.)

"biàn" refers to the whole course (from the beginning to the end) of an action.

e. g: Qǐng nǐ zài shuō yí biàn.

(Please say it again.)

Zhè běn shū wǒ kànle liǎng biàn.

(I have read the book twice from cover to cover.)

Wǒ qùle sān cì nà gè bówùguǎn, dànshì hái méi kànwán yí biàn.

(I visited that museum three times but I haven't seen everything.)

3. Read the following words which have the sound of "zhe" or "na" and make sentences with each of them.

1) zhèr = zhèlǐ (here) nàr = nàlǐ (there) nǎr = nǎlǐ (where)

zhè (this) nà (that) nǎ (which)

zhèxiē (these) nàxiē (those) nǎxiē (which pl.) yìxiē (some)

2) nǎguó (which country) nǎnián (which year) nǎtiān (which day) nǎbian (which side)

4. Apply "shì ... de" to the following sentences:

e. g.: Tā cóng Shànghǎi lái. —— Tā shì cóng Shànghǎi lái de.

1) Emphasize "when":

(1) Wǒ 2001 nián lái Zhōngguó gōngzuò.

(2) Tāmen zuótiān wǎnshang dào Guǎngzhōu.

(3) Wǒmen shàng Xīngqītiān shōudào nǐmen de chuánzhēn.

2) Emphasize "where":

(1) Wǒ zài Zhōngguó rènshì tā.

(2) Wǒ zài diànshì shang kàndào zhè gè xiāoxi.

(3) Nǐ zài nǎr jiàndào tā?

3) Emphasize "how":

(1) Tāmen zuò huǒchē lái zhèlǐ.

(2) Nǐ zěnme zhǎodào wǒmen?

(3) Wǒ dǎ diànhuà tōngzhī tāmen.

4) Emphasize "who":

(1) Wǒ hé tā yìqǐ qù Měiguó.

(2) Shéi sònggěi nǐ huār?

(3) Tā bāngzhù wǒ xiūlǐ hǎo qìchē.

5. Fill in the blanks with proper prepositions given in the bracket.

(cóng, lí, zài, gěi, wǎng, duì, hé, cóng ... dào)

1) Nǐ_____nǎlǐ lái?

2) Nǐ___nǎr zhù?

3) Lǎobǎn____nǐ de gōngzuò mǎnyì ma?

4) Dào qiánbian de lùkǒu, _____nǎbian guǎi?

5) Nǐ_____tāmen mǎi lǐwù le ma?

6) Shéi_____nǐ yìqǐ qù?

7) Nǐ jiā_____bàngōngshì yuǎn ma?

8)_____bàngōngshì_____jīchǎng yòng duōcháng shíjiān?

6. Reading material

Xiǎomāo méi le

A: Shàng cì wǒ zài nǐ jiā kàndào yì zhī xiǎomāo, zhēn kěài. Nǐ de xiǎomāo hǎo ma?

B: Xiǎomāo méi le.

A: Nǐ zài shuō yí biàn. Wǒ méi tīng qīngchu.

B: Xiǎomāo méi le.

A: Xiǎomāo sǐle ma?

B: Méi sǐ.

A: Nǐ bǎ xiǎomāo sònggěi biérénle ma?

B: Bú shì.

A: Xiǎomāo zìjǐ pǎo le?

B: Yě bú shì.

A: Wǒ zhēn bù míngbai. Fāshēng shénme shì le?

B: Xiǎomāo biànchéng dàmāo le.

New Words

1	sǐ	死	v.	die
2	pǎo	跑	v.	run; run away
3	biànchéng	变成	v.	change into; transform

Hóuzi yuèlái yuè shǎo le

(Zài dòngwùyuán li)

A: Māma, nǐ kàn! Nàxiē hōuzi zhēn kěài!

B: Hóuzi shì hěn cōngming de dòngwù, dànshì shìjiè shang de hóuzi bù duō le.

A: Wǒ tīngshuō, rén shì hōuzi biànchéng de, shì ma?

B: Shì de.

A: Guàibude hóuzi yuèlái yuè shǎo le.

New Words

1	māma	妈妈	n.	mum; mother
2	dòngwùyuán	动物园	n.	zoo

Zìxiāngmáodùn

Gǔ shíhou, yǒu yí gè rén mài máo yòu mài dùn. Tā shǒu li názhe yì zhī máo, duì biérén shuō: “Wǒ de máo fēicháng fēnglì, shénme dōngxi dōu néng zhātòu.” Yíhuìr, tā yòu názhe yí gè dùn, duì biérén shuō: “Wǒ de dùn tèbié jiēshi, shénme dōngxi dōu bù néng bǎ tā zhātòu.” Zhè shíhou, pángbian de rén wèn tā: “Yòng nǐ de máo zhā nǐ de dùn, jiéguǒ huì zěnmeyàng?” Mài dōngxi de rén méi bànfǎ huídá le. Wèishenme ne? Yīnwèi tā shuō de huà “zìxiāngmáodùn.”

New Words

1	máo	矛	n.	spear; pike
2	dùn	盾	n.	shield
3	zìxiāngmáodùn	自相矛盾		self – contradictory

	zìjǐ	自己	pron.	oneself
	hùxiāng	互相	adv.	mutually
	máodùn	矛盾	n. /adj.	contradiction/ contradictory
4	fēnglì	锋利	adj.	sharp
5	zhā	扎	v.	stab; stick into
6	tòu	透	v.	penetrate
7	jiēshi	结实	adj.	durable; strong
8	jiéguǒ	结果	n.	result
9	bànfǎ	办法	n.	method; way

7. Retell the story of "Zìxiāngmáodùn".

LESSON 17

Sentences

1. **Diàndēng xiūlǐ hǎo le. Diànhuà méi xiūlǐ hǎo.**
   Compare with: **Xiūlǐ hǎo diàndēng le. Méi xiūlǐ hǎo diànhuà.**
   The electric light has been repaired. The telephone hasn't.
2. **Rìchéng ānpáile ma?**
   Have you arranged the schedule?
   ——Yǐjīng ānpái le.
   Yes, I have.
3. **Tā de shǒujī bèi xiǎotōu(r) tōuqù le.**
   His mobile phone was stolen by a pickpocket.
4. **Zuótiān fēng hěn dà. Xǔduō shù bèi guādǎo le.**
   The wind was very strong yesterday. Many trees were uprooted.
5. **Guǎnggàopái méi bèi qìchē zhuànghuài.**
   The billboard was hit by a car but not damaged.
6. **Wǒ de bǐ bèi shéi názǒu le?**
   Who took away my pen?
7. **Shuō shíhuà, zhè shì zuì dī jiàgé.**
   Tell you the truth, this is the lowest price.
8. **Jīnnián de shàngwǎng fèi méi tígāo, bǐ qùnián jiàngdīle 10%. (bǎifēn zhī shí)**
   This year, the Internet fee was not raised. It was lowered by 10% compared with last year.

Lesson 17

General expressions

Jièshào (Introduction)

Nǐ hǎo! Wǒ shì . . . . Jiàndào nǐ, wǒ hěn gāoxìng.

(How do you do! I am . . . . Nice to meet you.)

Wǒ lái jièshào yíxiàr. Zhè wèi shì Wáng zǒng(jīnglǐ).

(Let me make an introduction. This is Wang, the general manager.)

Qǐng yúnxǔ wǒ jièshào Zhāng nǚshì.

(Allow me to introduce Madam Zhang.)

Duìbuqǐ, wǒ xiāngxìn wǒmen yǐqián méi jiànguo. Wǒ shì . . . .

(Excuse me, I don't think we've met before. I am . . . .)

Dialogue

A: Xiǎo Zhāng, nǐ de gǎnmào hǎole ma?

B: Hái méi hǎo ne.

A: Wǒ gěi nǐ de yào chīle ma?

B: Chī le. Dànshì bú tài yǒuxiào.

A: Nǐ xiànzài jué de zěnmeyàng? Hái tóu téng ma?

B: Tóu hái yǒu yìdiǎnr téng. Xièxie nǐn de guānxīn.

A: Nǐ yīnggāi qù yīyuàn kàn dàifu. Nǐ xūyào xiūxi.

B: Méiyǒu shíjiān. Wǒ de bàogào hái méi xiěwán ne. Yíhuìr wǒ qù mǎi yìdiǎnr zhōngyào chī, jiù xíng le.

A: Wǒ duì zhōngyī hé zhōngyào hěn gǎn xìngqù. Wǒ cháng qù ànmó.

B: Nín shìguo zhēnjiǔ ma?

A: Méiyǒu. Wǒmen wàiguórén dōu hěn hàipà zhēnjiǔ.
Yòng zhēn zhā nǐ, téng bu téng?

B: Bù téng. Nín kěyǐ shì yi shì. Zhēnjiǔ duì hěnduō bìng dōu yǒuxiào.

A: Wǒ gǎn kěndìng, zhēnjiǔ duì wǒ de bìng méiyǒuxiào.

B: Nǐ yǒu shénme bìng, lǎobǎn?

A: Sīxiāngbìng.

B: Nín shuō de hěn duì. Dàifu duì Sīxiāngbìng hé xiāngsībìng dōu méiyǒu bànfǎ.

New Words

1	bèi	被	prep.	by, used in a passive sentence
2	xiǎotōu(r)	小偷(儿)	n.	pickpocket; petty thief
3	tōu	偷	v.	steal
4	guā	刮	v.	(of the wind) blow
5	dǎo	倒	v.	fall; topple
6	guǎnggàopái	广告牌	n.	billboard
7	zhuàng	撞	v.	collide; run into; hit
8	shuō shíhuà	说实话		to tell the truth
9	dī	低	adj.	low
10	fèi	费	n.	fee
11	tígāo	提高	v.	raise; increase
12	jiàngdī	降低	v.	lower; reduce
13	yúnxǔ	允许	v.	allow
14	xiāngxìn	相信	v.	be convinced; believe

15	yǒuxiào	有效	adj.	effective
16	guānxīn	关心	v.	concern
17	zhōngyào	中药	n.	traditional Chinese medicine
18	zhōngyī	中医	n.	traditional Chinese medical science
19	ànmó	按摩	n.	massage
20	zhēnjiǔ	针灸	n.	acupuncture and moxibustion
21	hàipà	害怕	v.	be afraid of; be scared
22	zhēn	针	n.	needle
23	gǎn	敢	v.	dare
24	kěndìng	肯定	v.	be sure
25	sīxiāngbìng	思乡病	n.	homesickness
26	xiāngsībìng	相思病	n.	lovesickness

Word Study

"fùkuǎn", "mǎidān" and "jiézhàng"

1) "fùkuǎn" (pay) is composed of "fù" (to pay) and "kuǎn" (a sum of money) and often used in business.

e. g: fùkuǎn shíjiān (time of payment)

fùkuǎn bànfǎ (methods of payment)

"fù" (to pay) can be used as a verb independently.

e. g: Qǐng fù 10 kuài. (Please pay ten Yuan.)

2) "mǎidān" (buy the bill) is composed of "mǎi" (to buy) and "dān" (bill). "dān" stands for "zhàngdān" (bill).

"mǎidān" is often used in a restaurant.

e. g: Xiǎojiě! mǎidān. (Waitress! I'll pay.)

Zhè cì wǒ mǎidān, xià cì nǐ mǎidān.

(I pay this time and you pay next time.)

3) "jiézhàng" is composed of "jié" (to settle) and "zhàng" (bill, account) and is used in a restaurant, a hotel or in business.

e. g: Xiǎojiě! Jiézhàng. (Waitress! I'll pay.)

Wǒ míngtiān zǒu. Jīntiān wǎnshang kěyǐ jiézhàng ma?

(I'll leave tomorrow. Can I settle the bill tonight?)

Idioms and expressions

1. **zìxiāngmáodùn**
   Nǐ shuō de huà zìxiāngmáodùn.
   Tā shuō de hé zuò de zìxiāngmáodùn.
2. **Bú pà yí wàn, zhǐ pà wànyī.**
   Xiǎoxīn yìdiǎnr, bú pà yí wàn, zhǐ pà wànyī.
   Nǐ yīnggāi zuò bèifèn, bú pà yí wàn, zhǐ pà wànyī.

Exercises

1. Substitution Drills

(1) Jīpiào mǎihǎo le.
Rìchéng ānpái
Qìchē xiūlǐ
Fàn dìng

(2) Yīfu méi xǐ gānjìng.
Chúfáng dǎsǎo
Zhuōzi cā
Huāyuán sǎo

(3) Kāfēi dàizǒu ma?
Zhájī dài
Zhuōzi bān
Guìzi bān

(3) Fāpiào gěi nǐle ma?
Shōujù
Hétong
Zhīpiào

(4) Jīntiān de bào nǐ kànguole ma?
Zhè běn shū kànwán
Xīn lái de E－mail dǎkāi
Xīn lái de lǎobǎn jiàndào

(5) Qìchē bèi jǐngchá kòuxià le.
Jiàshǐzhèng kòuxià
Sījī fákuǎn

Tā dàizǒu

(6) Míngnián wǒ de gōngzī jiāng tígāo 5%
fángzū tígāo 10%
guòqiáofèi jiàngdī 20%
yínháng lìlǜ jiàngdī 2.5%

(7) Shuō shíhuà, jiàgé bù néng zài jiàngdī le.
nǐ de gōngzī bù dī le.
nǐmen de jiàgé bǐ biérén gāo.
wǒ bù zhìdào zhè jiàn shì.
wǒ bù xǐhuan chī yángròu.

(8) Wǒ duì Zhōngguó wénhuà hěn gǎn xìngqù.
Hànzì hěn
zúqiú bù
zhè jiàn shì bù

2. Change the following sentences into passive form without "bèi".

e.g: Wǒ chī yào le. ——Yào wǒ chī le. (I have had the medicine.)

(1) Wǒ gěi tā fāpiào le.
(2) Āyí dǎsǎo kètīng le.
(3) Xǐ gānjing yīfule ma?
(4) Qiān hétong le.
(5) Diū qiánbāo le.
(6) Dǎkāi chuānghu le.
(7) Xiěwán bàogào le.
(8) Názǒu shū le.

3. Change the following sentences into passive form with "bèi".

e.g: Tā názǒu wǒ de bǐ le. ——Wǒ de bǐ bèi tā názǒu le.
(He took my pen. ——My pen was taken by him.)

(1) Lǎobǎn kāizǒu qìchē le.
(2) Jǐngchá kòuxià jiàshǐzhèng le.
(3) Tā dàizǒu diànnǎo le.
(4) Tā xiūlǐ hǎo kōngtiáo le.
(5) Wáng xiānsheng názǒu zhīpiào le.

4. Read the following words and give the English explanations in the brackets.

fèi (fee)	
fàn (meal)	fànfèi (________)
yào (medicine)	yàofèi (________)
qìchē (car)	chēfèi (________)
guòqiáo (cross a bridge)	guòqiáofèi (________)
xuéxí (study)	xuéfèi (________)
shuǐ (water)	shuǐfèi (________)
diàn (electricity)	diànfèi (________)
tíngchē (park a car)	tíngchēfèi (________)
shàngwǎng (go on line)	shàngwǎngfèi (________)

5. Give the negative form of the following words and make sentences with each of them then.

(1) yǒuyìsi
(2) yǒuxiào
(3) yǒuyòng
(4) yǒumíng
(5) yǒu jīngyàn de
(6) duì . . . mǎnyì
(7) duì . . . gǎn xìngqù

6. Complete the following sentences:

(1) Shuō shíhuà, ____________________.
(2) Tīngshuō, ____________________.
(3) Kànqǐlái, ____________________.
(4) Nǐ zhīdào, ____________________.
(5) Wǒ xīwàng ____________________.
(6) Wǒ rènwéi ____________________.
(7) Wǒ juéde ____________________.
(8) Wǒ kàn ____________________.
(9) Wǒ gǎn kěndìng ____________________.
(10) Wǒ xiāngxìn ____________________.

7. Translate the English in the brackets of "Sentences" into Chinese orally.

Reference Words

1	mǎidān	买单	v.	buy the bill
2	Bú pà yíwàn, zhǐ pà wànyī.			不怕一万,只怕万一。 Better be safe than sorry.
	wànyī	万一	n.	eventuality
3	xiǎoxīn	小心	adj. /v.	careful/take care
4	bèifèn	备份	n.	backup
5	dǎsǎo	打扫	v.	clean; sweep
6	sǎo	扫	v.	sweep (with a broom)
7	bān	搬	v.	move; take away
8	kòuxià	扣下	v.	detain; keep by force
9	fákuǎn	罚款	v.	impose a fine
10	guòqiáofèi	过桥费	n.	toll
11	lìlǜ	利率	n.	interest rate
12	Hànzì	汉字	n.	Chinese characters
13	fāpiào	发票	n.	invoice
14	shōujù	收据	n.	receipt

Notes

The passive voice

In Chinese language, a passive sentence can take the same form as an active one, but it is passive in meaning.

e. g: Qìchē xiūlǐ hǎo le. (The car has been repaired.)

Fēijīpiào màiwán le. (The air tickets are sold out.)

Xíngli fàng zài nǎr? (Where to put the luggage?)

Nà gè rén wǒ méi jiànguo. (I haven't met that person.)

When there is a need to mention the performer of the action, the word "bèi" is applied.

e. g: Wǒ de cídiǎn bèi tā názǒu le.

(My dictionary was taken away by him.)

Chuānghu bèi fēng guākāi le.

(The window blew open.)

A passive sentence always takes other elements like "le", "guo" or a complement etc.

LESSON 18

Sentences

1. Tā jīngcháng lái de hěn wǎn, lǎobǎn cháng shuō tā.
   He often comes late and the boss often scolds him.
2. Yùndòngyuán pǎo de zhēn kuài. Bú dào 10 miǎo jiù pǎowánle 100 mǐ.
   The sportsmen ran so fast. In less than 10 seconds they covered 100 meters.
3. Qǐng kāi de màn yìdiǎnr! Tài wēixiǎn le.
   Slow down the car, please! It's too dangerous.
4. Wǒ shuō de bú kuài, tā tīngdǒng le.
   I didn't speak fast. He understood.
5. Zuótiān wǒ shuì de bù háo, jīntiān méiyǒu jīngshen.
   I didn't sleep well yesterday. I feel tired today.
6. Tā chànggē chàng de hěn hǎo. Wǒ chànggē chàng de bù hǎo.
   He sings well. I don't.
7. Nǐ chīfàn chī de duō bu duō?/ Nǐ chīfàn chī de duō ma?
   Do you eat a lot?

   ——Wǒ chī de bù duō, dànshì hē de bù shǎo.
   No, I don't. But I drink quite a lot.
8. Tā Hànyǔ shuō de zěnmeyàng?
   How well does he speak Chinese?

   ——Tā Hànyǔ shuō de bàngjí le.
   His Chinese is excellent.

Lesson 18

General expressions

Gāoxìng (Delight)

Hǎo xiāoxi! (Good news!)
Tài hǎo le! (That's great!)
Wǒ hěn kāixīn/gāoxìng. (I am delighted.)
Wǒ tài gāoxìng le. (I am really delighted.)
Wǒ wánr de hěn kāixīn. (I enjoyed it very much.)
Zuótiān wǎnshang wǒ guò de hěn yúkuài.
(I had a good time last night.)

Dialogue

A: Nǐ hǎo! Kǎtè xiānsheng. Nǐ nǎ tiān huílái de?
B: Qiántiān. Shíjiān guò de zhēn kuài. Liǎng gè xīngqī de xiūjià yǐjīng wán le.
A: Nǐ wánr de zěnmeyàng? Qù shénme dìfang le?
B: Wǒ wánr de hěn kāixīn. Wǒ qùle Xī'ān, Qūfù hé Tàishān. Nǐ qùguo Qūfù ma?

A: Wǒ hái méi qùguo. Wǒ hěn xiǎng qù.
B: Qūfù shì Kǒngzǐ de gùxiāng, zhídé qù kànkan. Kǒngzǐ de sīxiǎng yǐngxiǎng hěn dà.
A: Shì de. Nǐ kànguo "Lúnyǔ" ma?
B: Wǒ kànguo. Wǒ juédé, yào liǎojiě Zhōngguó chuántǒng wénhuà, jiù bìxū kàn "Lúnyǔ".
A: Méicuòr. Wǒ méi xiǎngdào nǐ zhīdào zhème duō. Wǒ zhēn shì "Yǒu yǎn bù shí Tàishān".
B: Wǒ hái xué de bù hǎo. Wáng xiānsheng, wǒ jiànyì nǐ cháng qù kànkan nǐ wèilái de "Tàishān". Bùrándehuà, nǐ yǐhòu jiéhūn de shíhou yǒu máfan.
A: Nǐ zhēn shì Zhōngguótōng.

New Words

1	de	得		a structural particle
2	shuō	说	v.	scold; say; speak
3	yùndòngyuán	运动员	n.	sportsman
4	miǎo	秒	n.	second (a length of time)
5	wēixiǎn	危险	adj.	dangerous
6	yǒu jīngshen	有精神		energetic; vigorous
7	kāixīn	开心	adj.	happy; joyous
8	guò	过	v.	spend (time); pass (time)
9	Kǎtè	卡特	n.	Carter; name of a person
10	Qūfù	曲阜	n.	name of a city in Shandong Province
11	Tàishān	泰山	n.	Mt. Tai, in Shangdong Province, wife's father
12	gùxiāng	故乡	n.	hometown
13	zhídé	值得	v.	be worth (doing sth.)
14	sīxiǎng	思想	n.	thought; thinking; ideology
15	yǐngxiǎng	影响	n.	influence
16	Lúnyǔ	论语	n.	The Analects of Confucius
17	liǎojiě	了解	v.	understand; comprehend
18	chuántǒng	传统	n.	tradition

19	méicuòr	没错儿		That's right.
20	xiǎngdào	想到	v.	think of; expect sth. to happen
21	zhème	这么	pron.	so, such
22	Yǒu yǎn bù shí Tàishān	有眼不识泰山		
	have eyes but not see Mt. Tai, entertain an angel unawareness			
	yǎn(jing)	眼(睛)	n.	eye
	shí = rènshi	(认)识	v.	know; recognize
23	jiànyì	建议	v.	suggest
24	wèilái de	未来的		would - be; future
25	bùrándehuà	不然的话		otherwise; or else
26	Zhōngguótōng	中国通	n.	a China hand; an expert on China

Word Study

1. "guò" and "guo"

"guò" is a verb which means to pass, to cross, to spend (time) or to pass (time).

e. g: **guò mǎlù** (cross the road)

guò lìjiāoqiáo (pass the overpass)

guò zhōumò (spend the weekend)

guò Shèngdànjié (spend/celebrate the Christmas)

guò Chūnjié (spend/celebrate the Spring Festival)

"guo" is a particle used after a verb to indicate a past experience.

e. g: **Wǒ jiànguo tā.** (I have met him before.)

Tā láiguo Zhōngguó ma? (Has he ever been to China?)

2. "bān", "dài" and "ná"

"bān" means to move, to take away. Its object must be big or heavy.

e. g: **bān bǎoxiǎnguì** (move the safe)

bān jiā (move house)

"dài" means to take , to bring.

e. g: **Wǒ kěyǐ dài duōshao xíngli?**

(How much luggage can I take?)

Bié wàngle dài fēijīpiào!

(Don't forget to take the air ticket along!)

Wǒ méi dài qián. (I haven't any money on me.)

"ná" means to hold or to take with one's hand usually.

e. g: Tā shǒu li názhe yì zhī huār.

(She is holding a flower in her hand.)

Bǎ zhèxiē dōngxi ná zǒu.

(Take away these things.)

"bān", "dài" and "ná" often take "lái, qù or zǒu" indicating the direction of the movement.

e. g: bān zǒu zhuōzi (remove the desk)

dàilái yìxiē lǐwù (bring me some gifts)

bǎ bēizi ná qù (take away the glass)

Idioms and expressions

1. **zhàn de gāo, kàn de yuǎn.**

   Tā kàn wèntí zǒngshì "zhàn de gāo, kàn de yuǎn".

2. **shéi zuìhòu xiào, shéi xiào de zuì hǎo.**

   Tāmen xiào de tài zǎo le. "Shéi zuìhòu xiào, shéi xiào de zuì hǎo."

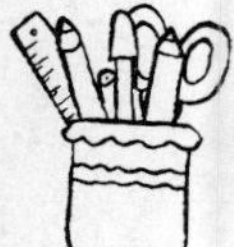

Exercises

1. Substitution Drills

(1) Tā chàng de hěn hǎo. (Compare with: Tā chànggē chàng de hěn hǎo.)

tiào	tiàowǔ	tiào
yóu	yóuyǒng	yóu
huá	huábīng	huá
zuò	zuòfàn	zuò

(2) Wǒ shuō de bú kuài, tā tīngdǒng le.

kāi	kuài	néng zhuīshang
pǎo	kuài	zhuīshang le
shuō	bù qīngchu	bù míngbai
xiě	qīngchu	méi kàndǒng

(3) Tā pǎo de kuài ma?/ Tā pǎo de kuài bu kuài?

zǒu	kuài	zǒu	kuài	kuài
kāi	kuài	kāi	kuài	kuài
xué	hǎo	xué	hǎo	hǎo

zhèng duō zhèng duō duō

—— Tā pǎo de bǐ wǒ kuài .

zǒu kuài

kāi kuài

xué hǎo

zhèng duō

(4) Nǐ xiūxi de zěnmeyàng? ——Wǒ xiūxi de hěn hǎo.

zhǔnbèi	zhǔnbèi	hǎo
xué	xué	kuài
shuì	shuì	hǎo
wánr	wánr	kāixīn
guò	guò	yúkuài

(5) Nǐ Yīngyǔ xué de zěnmeyàng?

Hànyǔ	xué
qìchē	kāi
gōngzuò	zuò
wǎngqiú	dǎ
gāngqín	tán

(6) Zuótiān wǒ shuì de hěn wǎn. Jīntiān méiyǒu jīngshen.

shuì	hěn shǎo	hěn kùn
hē	tài duō	bù shūfu
chī	tài shǎo	yǒu yìdiǎnr è
chuān	tài shǎo	gǎnmào le

(7) Qǐng shuō de màn yìdiǎnr!

kāi	kuài
jièshào	xiángxì
tán	xiángxì

(8) Wǒ méi xiǎngdào tā huì shuō Hànyǔ .

tá Hànyǔ shuō de zhème hǎo

Tàishān zhème piàoliang

jiàgé zhème piányi

Zhōngguó fāzhǎn de zhème kuài

2. Read the following conjunctions and examples, then make sentences imitating them.

(1) hé (and): Tā hé wǒ dōushì Fǎguórén.

(2) bǐrú (for example):

Wǒ qùle hěn duō dìfang, bǐrú Shànghǎi, Xī'ān, Wūlǔmùqí děng.

(3) dànshì (but): Wǒ hěn xiǎng qù, dànshì méiyǒu shíjiān.

(4) huòzhě (or): Qǐng nǐ dǎ wǒ de shǒujī, huòzhě gěi wǒ fā E-mail.

(5) háishì (or, used in making an alternative question): Nǐ lèile háishì bù shūfu le?

(6) rúguǒ (if):

Rúguǒ měi gè rén dōu zhùyì huánjìng bǎohù, zhè gè shìjiè huì gèng hǎo.

(7) nàme (in that case): Rúguǒ nǐmen dōu chūqù, nàme wǒ jiù bù chūqù le.

(8) bùrándehuà (otherwise): Wǒmen měi gè rén dōu bìxū zhùyì huánbǎo (= huánjìng bǎohù), bùrándehuà huánjìng wèntí méi bànfǎ jiějué.

(9) yīnwèi (because): Tā méi lái shàngbān, yīnwèi tā zhèngzài xiūjià.

(10) suǒyǐ (therefor): Nǐmen dōu bù chōuyān, suǒyǐ wǒ yě bù yīnggāi chōuyān.

(11) búdàn ... érqiě ... (not only ... but also ...):

Tā Zhōngwén búdàn shuō de hǎo, érqiě xiěde yě búcuò.

(12) suīrán ... dànshì ... (although ... but ...):

Suīrán wǒ bú rènshi tā, dànshì wǒ zhīdào tā.

(13) búshì ... jiùshì ... (either ... or ...):

Fēijī búshì 4:00 dào jiùshì 5:00 dào, wǒ méi tīng qīngchu.

(14) yī ... jiù ... (when/whenever ... immediately/then, as soon as ...):

Wǒ yì zhīdào zhè gè xiāoxi jiù tōngzhī tā le.

Reference Words

1	Zhàn de gāo, kàn de yuǎn.		站得高,看得远。 Stand high and see far.	
	zhàn	站	v.	stand
2	Shéi zuìhòu xiào, shéi xiào de zuì hǎo.	谁最后笑,谁笑得最好。	He who laughs last laughs best.	
	zuìhòu	最后	n.	last; final
	xiào	笑	v.	laugh
3	zhuīshang	追上	v.	catch up; catch up with
4	zhèng	挣	v.	earn
5	Yàzhōu	亚洲	n.	Asia
6	fāzhǎn	发展	v.	develop

7	zhùyì	注意	v.	pay attention to
8	huánjìng	环境	n.	environment
9	bǎohù	保护	v. /n.	protect/ protection
10	huánbǎo	环保	n.	environmental protection

Notes

Verb + de + adj. /adv.

The complement of degree

"Verb. + de + adj. /adv."

The adj. /adv. in this structure illustrates how well an action is done and what degree has been reached. It is called the complement of degree.

The complement of degree is mostly applied to an action that has occurred or a habitual one.

"de" is a structural particle used to connect the verb and its complement of degree. It is different from the possessive "de", as is used in wǒde, nǐde, etc.

e. g: Zuótiān wǎnshang wǒ shuì de hěn hǎo.

(I slept well last night.)

Tā cháng lái de hěn wǎn.

(He often comes late.)

Nǐ shuō de tài kuài le.

(You spoke too fast.)

The negative form: Zuótiān wǎnshang wǒ shuì de bù hǎo.

(I didn't sleep well last night.)

Nǐ shuō de bú tài kuài.

(You didn't speak too fast.)

When the verb takes an object, the sentence can be arranged in three ways:

Tā kāi qìchē kāi de hěn kuài.

(He drives fast.)

or: Qìchē tā kài de hěn kuài.

or: Tā qìchē kāi de hěn kuài.

LESSON 19

Sentences

1. Wǒ néng kàndǒng Zhōngwén bào. Nǐ kàn de dǒng Zhōngwén bào ma? /Nǐ néng kàn dǒng Zhōngwén bào ma?
I can read a Chinese newspaper. Can you read a Chinese newspaper?

——Wǒ de Zhōngwén hái bù hào. Wǒ kàn bu dǒng Zhōngwén bào.
My Chinese is still poor. I am not able to read Chinese newspaper.

2. Nǐ tīng de dǒng tā de jiǎnghuà ma?
Can you follow his speech?

——Wǒ tīng bu dǒng tā de jiǎnghuà.
I am not able to follow his speech.

3. Nǐ kàn de jiàn yuǎnchù de shān ma?
Can you see the mountain in a distance?

——Jīntiān wù hěn dà. Wǒ kàn bu jiàn.
It's very foggy today. I cannot see.

4. Jīntiān nǐ xiě de wán zhè gè bàogào ma?
Can you finish writing this report today?

——Duìbuqǐ, wǒ xiě bu wán.
Sorry, I cannot finish it.

5. 4: 00 yǐqián tā huí de lái ma?
Can he return before four o'clock?

——Wǒ xiǎng, tā huí de lái.
I think he can return.

6 **Nǐ diǎn de cài tài duō le. Zánmen chī bu liǎo.**

You have ordered too many dishes. We are not able to eat them up.

——**Dàjiā bié kèqì. Cài bú tài duō. Chī de liǎo.**

Make yourself at home, everyone. There are not too many dishes and we can eat them up.

7 **Nǐ hē de liǎo liǎng píng píjiǔ ma?**

Can you drink two bottles of beer?

——**Wǒ hē bu liǎo.**

No, I can't.

8 **Nǐ mǎi de qǐ gāojí jiàochē ma?**

Can you afford to buy a high-grade sedan?

——**Wǒ mǎi bu qǐ.**

No, I can not afford.

9 **Huìyì de shíjiān biàn le, dànshì dìdiǎn méi biàn.**

The time for the meeting has changed, but the place remains unchanged.

10 **Zhōngguó fāshēngle hěn dà (de) biànhuà.**

Great changes have taken place in China.

General expressions

Fàngxīn (Reassurance)

Nǐ fàngxīn ba. (You may rest assured.)
Bié dānxīn. (Don't worry.)
Bié zháojí. (Don't worry. / No hurry. / Take your time.)
Zhè méi shénme. (It's nothing.)
Yíqiè dōu huì hǎo de. (Everything will turn out right.)

A short passage

Nào Xiàohua

Zài Zhōngguó gōngzuò de wàiguórén yuèlái yuè duō, dànshì huì shuō Hànyǔ de wàiguórén bú tài duō. Wǒ shì yì nián yǐqián kāishǐ xuéxí Hànyǔ de. Yīnwèi gōngzuò tài máng, shíjiān bú gòu, wǒ xué de bú tài hǎo. Biérén shuō Hànyǔ de shíhou，yí bùfèn wǒ tīng de dǒng，yí bùfèn tīng bu dǒng. Wǒ shuō Hànyǔ de shíhou，Zhōngguórén dōu tīng de dǒng. Dànshì wǒ de fāyīn yǒushíhou bú duì，cháng nào xiàohua.

Yǒu yí cì，wǒ xiǎng mǎi lǐzi，wǒ duì mài dōngxi de shuō: "Wǒ yào lìzi."

"Duìbuqǐ，méiyǒu."

Dànshì，wǒ kànjiàn nàr yǒu lǐzi. Wǒ hěn bù gāoxìng. Wǒ shuō:

"Nǎ bú shì lìzi ma? Nǐ wèishénme bú mài?"

"Nà bú shì lìzi，nǎ shì lǐzi." Mài dōngxi de xiào le.

Wǒ de tiān! Wǒ shuōcuò le.

Shàngkè de shíhou，wǒ gàosù lǎoshī zhè jiàn shì，ránhòu wǒ shuō: "Yǐhòu wǒ yào núlì."

Kěshì lǎoshī xiàozhe shuō: "Rúguǒ nǐ yào nǔlì xuéxí，wǒ yídìng bāngzhù nǐ. Rúguǒ nǐ xiǎng yào núlì，wǒ bāngbuliǎo nǐ."

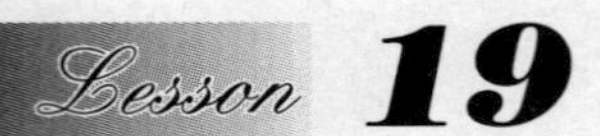

Lesson 19

New Words and Phrases

No.	Pinyin	Chinese		English
1	kàn de dǒng	看得懂		can understand through reading
	kàn bu dǒng	看不懂		be not able to understand through reading
2	tīng de dǒng	听得懂		can understand through listening
	tīng bu dǒng	听不懂		be not able to understand through listening
3	kàn de jiàn	看得见		be able to see
	kàn bu jiàn	看不见		be not able to see
4	xiě de wán	写得完		can finish writing
	xiě bu wán	写不完		be not able to finish writing
5	huí de lái	回得来		be able to come back
	huí bu lái	回不来		be not able to come back
6	chī de liǎo	吃得了		can eat up
	chī bu liǎo	吃不了		be not able to eat up
7	hē de liǎo	喝得了		can drink up
	hē bu liǎo	喝不了		be not able to drink up
8	mǎi de qǐ	买得起		can afford to buy
	mǎi bu qǐ	买不起		can not afford to buy
9	huìyì	会议	n.	meeting
10	biàn	变	v.	change
11	dìdiǎn	地点	n.	place
12	jiǎnghuà	讲话	n.	speech
13	yuǎnchù	远处	n.	a distant place
14	shān	山	n.	mountain; hill
15	wù	雾	n.	fog
16	gāojí	高级	adj.	high - grade
17	jiàochē	轿车	n.	sedan; car
18	fàngxīn	放心	v.	rest assured
19	dānxīn	担心	v.	worry
20	gòu	够	adj.	enough
21	fāyīn	发音	n.	pronunciation
22	nào xiàohua	闹笑话		make a fool of oneself; make a stupid mistake

23	lǐzi	李子	n.	plum
24	lìzi	栗子	n.	chest nut
25	duì	对	prep.	to
26	mài	卖	v.	sell
27	xiào	笑	v.	laugh; smile
28	Wǒ de tiān!	我的天!		Good Heavens! My God!
29	núlì	奴隶	n.	slave
30	kěshì	可是	conj.	but
31	bāng bu liǎo	帮不了		be not able to help

Word Study

"biànhuà", "biàn" and "huàn"

(1) "biànhuà" is often used as a noun, meaning changes.

e. g: Wǒ de gōngzuò méiyǒu biànhuà.

(There are no changes in my job.)

Tāmen de shēnghuó fāshēngle hén dà biànhuà.

(Great changes have taken place in their life.)

Yīnwèi tiānqì de tūrán biànhuà, hěnduō rén gǎnmào le.

(Because of the sudden changes of weather, many people caught a cold.)

(2) "biàn" is often used as an intransitive verb, meaning to become different, to change.

e. g: Gōngsī de míngzi biàn le.

(The name of the company has changed.)

Huìyì de dìdiǎn biàn le.

(The place for the meeting has changed.)

Jiàgé méi biàn.

(Prices remain unchanged.)

Wǒ de shǒujīhào méi biàn.

(My cell phone number remains unchanged.)

(3) "huàn" is a verb, meaning to give, take or put something in place of (something else), to change (for), to exchange.

e. g: Wǒ bù xǐhuan zhè jiàn yīfu de yánsè. Wǒ xiǎng huàn yí jiàn.

(I don't like the color of this piece of clothes. I would like to change for another.)

Wǒ yào huàn 500 Ōuyuán.

(I want to change 500 Euro into RMB.)

Lesson 19

Idioms and expressions

1. Chī bu liǎo, dōuzhe zǒu.

   Wǒ diǎnle hěnduō cài. Rúguǒ zánmen chī bu liǎo, kěyǐ dōuzhe zǒu.

   (I ordered a lot of food. If we can not eat up, we can take it away.)

   Zhè shì mìmì, nǐ bié gàosù biérén. Bùrándehuà, wǒ ràng nǐ "chī bu liǎo, duōzhe zǒu."

   (This is a secret and you should not tell others. Otherwise I'll make you sorry for it.)

2. Yuǎnshuǐ jiù bu liǎo jìnhuǒ.

   Wǒmen xiànzài xūyào hěnduō zījīn. Yínháng tōngyì míngnián dàikuǎn. Dànshì, yuǎnshuǐ jiù bu liǎo jìnhuǒ.

   (We need a lot of funds now. The bank will provide a loan next year. But the water afar quenches not fire.)

Exercises

1. Substitution Drills

(1) Wǒ kàn de dǒng Yīngwén shū, kàn bu dǒng Zhōngwén shū.

Fǎwén	Déwén
Zhōngwén	Yìdàlìwén
Xībānyáwén	Pútáoyáwén

(2) Tā méi kànjiàn wǒ. Tiān hēi le, tā kàn bu jiàn wǒ.

Wǒ zài qìchē lǐbian

Lù shang rén tài duō

Tā de yǎnjing bù hǎo

(3) Míngtiān tā huí de lái ma?—— Tā huí de lái. (Or: Tá néng huílái.)

Xīngqītiān

Xià yuè yī hào

Xiàbān yǐqián

(4) Wǒ chī bu liǎo zhème duō ròu.

cài

miàntiáo

mǐfàn

(5) Wǒ mǎi de qǐ pǔtōng jiàochē, mǎi bu qǐ gāojí jiàochē.

fángzi fángzi

xiāngshuǐ xiāngshuǐ

shǒubiǎo shǒubiǎo

(6) Shíjiān bú gòu.

Qián

Zījīn

Zīliào

Lǐwù

2. Translate the following into Chinese in two ways.

e. g: Can you see the characters on the plate? (kàndejiàn)

Nǐ kàn de jiàn pánzi shang de zì ma?

Or: Nǐ néng kànjiàn pánáizi shang de zì ma?

(1) Can you understand what he said? (tīng de dǒng)

(2) Can you read Chinese novels? (kàn de dǒng)

(3) Will he be back tomorrow? (huí de lái)

(4) Can you finish writing the report today? (xiě de wán)

3. Make sentences with the phrases or word groups given.

(1) kàn bu jiàn

(2) méi kàn jiàn

(3) tīng bu dǒng

(4) méi tīng dǒng

(5) xiě bu wán

(6) hē bu liǎo

(7) mǎi bu qǐ

(8) bāng bu liǎo

4. Fill in the blanks with "biànhuà", "biàn" or "huàn".

(1) Hǎojiǔ bújiàn le. Nǐ hái nàme niánqīng, méi yǒu_____ .

(2) Nǐ de E-mail dìzhǐ______ le ma?

(3) Xià xīngqī de ānpái yǒu mei yǒu______?

(4) Wǒ xiǎng______100 Měiyuán.
(5) Zhè gè bēizi bú tài gānjing, qǐng gěi wǒ______yíxiànr.
(6) Shàngbān shíjiān______le.
(7) Wǒ de diànhuàhào méiyǒu______.
(8) Shànghǎi de______zhēn dà!

5. Reading material

(1) hē bu liǎo

Xuéxiào li yǒu yí gè yóuyǒngchí. Hěnduō xuésheng zhèngzài xuéxí yóuyǒng. Kànjiàn Xiǎomíng bù gǎn xià qù, lǎoshī duì tā shuō:

"Bié hàipà, Xiǎomíng! Yóuyǒng de shíhou hē yìdiǎnr shuǐ méi guānxi."

Xiǎomíng shuō: "Kěshì, wǒ hē bu liǎo nàme duō!"

(2) zài fēijīchǎng

Gè wèi lǚkè qǐng zhùyì. Yóu Běijīng fēiwǎng Lúndūn de CA307 hángbān xiànzài kāishǐ dēngjī. Xièxie.

Yíngjiē lǚkè de gèwèi qǐng zhùyì. Yóu Fǎlánkèfú fēilái běn zhàn de CA801 hángbán xiànzài yǐjīng dàodá. Xièxie.

Reference Words

1	tūrán	突然	adv.	suddenly
2	dōu	兜	v.	wrap up in a piece of cloth, etc.
3	chī bu liǎo, dōuzhe zǒu.			
	吃不了,兜着走。			If you cannot finish (the food), you may wrap it up and take away. / land oneself in serious trouble.
4	jiù bu liǎo	救不了		be not able to put out (a fire)
5	huǒ	火	n.	fire
6	yuǎnshuǐ jiù bu liǎo jìnhuǒ			远水救不了近火
	Distant water cannot put out a nearby fire. / While the grass grows the horse starves.			
7	zījīn	资金	n.	funds
8	dàikuǎn	贷款	v. /n.	provide a loan; loan
9	pǔtōng	普通	adj.	ordinary; common
10	shǒubiǎo	手表	n.	wrist watch
11	yóuyǒngchí	游泳池	n.	swimming pool

12	gèwèi	各位	n.	everybody (a term of address)
13	lǚkè	旅客	n.	passenger
14	yóu	由	prep.	from
15	hángbān	航班	n.	scheduled flight
16	dēngjī	登机	v.	board a plane
17	yíngjiē	迎接	v.	meet; welcome
18	běn	本		this
19	zhàn	站	n.	station; stop
20	dàodá	到达	v.	arrive

LESSON 20

(Review)

1. Translate the following into English. Special attention should be given to the verbs (in boldface type) and their complements (underlined).

1) Yǔ **xià** de hěn dà.
2) Shíjiān **guò** de zhēn kwài.
3) Xià xīngqītiān tā **huí** Déguó qù.
4) Tā gěi wǒ **dàlái** yí jiàn lǐwù.
5) Tā **huí** dào jiā le.
6) Nǐ **xué**wán zhè běn shū le.
7) Měi tiān wǒ **shuì** bā gè xiǎoshí.
8) Zhè zhǒng yào měi tiān **chī** sān cì, měi cì **chī** liǎng piànr.
9) Nǐ **tīng** de dǒng tā de huà.
10) Sì diǎn yǐqián tā **huí** de lái.

2. Turn the above sentences into general questions and also give the negative forms of them.

e. g: Yǔ **xià** de hěn dà.

Question form: Yǔ xià de hěn dà ma? / Yǔ xià de dà bu dà?

Question form: Yǔ xià de bú dà.

Nǐ **tīng** de dǒng tā de huà.

Question form: Nǐ **tīng** de dǒng tā de huà ma?

Question form: Nǐ **tīng** bu dǒng tā de huà.

3. Explain the conjunctions underlined and make sentences with each of them.

1) Nǐ chūqù de shíhou, qǐng suǒhǎo mén. (at the time of, when)
2) Wǒ hěn xǐhuan kàn xiǎoshuō, dànshì méiyǒu shíjiān. (but)
3) Tā xiǎng qù tiàowǔ, kěshì tā(de) àirén xiǎng qù tīng yīnyuè. (but)
4) Yīnwèi diànnǎo huài le, suǒyǐ wǒ méi shōudào nǐ de E-mail. (because ... therefore ...)
5) Rúguǒ nǐ bù fǎnduì, wǒ xià yuè xiǎng xiūjià. (if)
6) Qǐng nǐ yí dào jiā jiù gěi wǒ dǎ diànhuà. (as soon as)
7) Wǒ chīle fàn jiù shuìjiào le. (immediately)
8) Xià xuě le, lù bù hǎo zǒu.
—— Nàme, wǒmen zuò dìtiě ba. (in that case)
9) Wǒmen bìxū mǎshàng zǒu, bùrándehuà huì chídào de. (otherwise, or else)
10) Tā búdàn niánqīng, érqiě piàoliang. (not only ... but also...)
11) Zhè jiàn yīfu búshì xiǎo Wáng de, jiùshì xiǎo Zhāng de. (either ... or ...)

4. Read the phrases in Lesson 12 – 7 – 4) and Lesson 13 – 7 – 1).

5. Fill in the blanks with "le" where necessary:

Shàng xīngqī wǒ bú zài jiā (1), wǒ chūchāi (2). Wǒ xiān qù Shànghǎi (3), ránhòu qù Xiānggǎng (4), zuótiān cái huídào Běijīng (5).

Zài Xiānggǎng, wǒ qù kàn(6) yí gè lǎo péngyou. Wǒmen yǐjīng hǎojiǔ bú jiàn (7). Wǒ gěi tā mǎi (8) yìxiē lǐwù. Jiàndào tā, wǒ hěn gāoxìng (9).

Yǐqián wǒmen shì tóngshì (10). Nàshíhou, wǒmen dōu hěn niánqīng, wǒmen cháng yìqǐ chīfàn, yìqǐ dǎ wǎngqiú(11). Shēnghuó guò de hěn yúkuài (12). Xiànzài wǒmen dōu yǒu jiā (13).

Wǒ gàosù tā, wǒ míngnián jiù yào huí guó (14). Tā shuō, tā jīnnián jiù kěyǐ huíguó. Yǐhòu, wǒmen yòu kěyǐ cháng zài yìqǐ (15).

(Key: "le" should be used at 2, 6, 7, 8, 13, 14, 15.)

6. General expressions

Zàijiàn(Good-bye)

Wǒ huì xiǎng nǐ de. (I will miss you.)

Yǐhòu cháng liánxi. (Be in touch.)

Xīwàng nǐ néng zài lái Zhōngguó. (I hope that you can come to China again.)

Yílù píng'ān! (Bon Voyage!)

7. Idioms and Expressions

Tiānxià méiyǒu bú sàn de yánxí.

Xià yuè wǒ jiùyào zǒu le. Wǒ hěn xǐhuan hé nǐmen yìqǐ gōngzuò, dànshì "Tiānxià méiyǒu bú sàn de yánxí."

(I am leaving next month. I like working with you very much, but all the good things must have an end.)

8. Reading material

1) Zhùhè xīnnián

Nǚshìmen, Xiānshengmen:

Nǐmen hǎo! Xīnnián kuàiyào dào le. Zài xīn de yì nián lǐ, zhù dàjiā shēntǐ jiànkāng, wànshì rúyì! gōngxǐ fācái!

Wǒ fēicháng gǎnxiè nǐmen de bāngzhù hé zhīchí. Wǒ xiāngxìn, wǒmen de hézuò huì yuèlái yuè hǎo, wǒmen huì qǔdé gèng dà chénggōng.

Wǒ jiànyì,

Wèi wǒmende yǒuyì,

Wèi gèwèi de shēntǐ jiànkāng,

Gānbēi!

Xièxie.

2) Hànzì

Hànzì shì shìjiè shang zuì gǔlǎo de wénzì zhī yī. Hànzì yǒu 6,000 nián zuǒyòu de lìshǐ. Qínshǐhuáng 2,000 duō nián yǐqián tǒngyī Zhōngguó, yě tǒngyī le Hànzì.

Hànzì yígòng yǒu 50,000 duō. Dànshì zuì cháng yòng de Hànzì zhǐ yǒu 3,000 gè zuǒyòu.

Hànzì shì Zhōnghuá wénmíng de zhòngyào zǔchéng bùfèn. Hànzì jìlù le Zhōngguó de lìshǐ hé wénhuà. "Lúnyǔ" shì 2,000 duō nián yǐqián xiě de shū, jīntiān rénmen hái zài xuéxí hé yánjiū. Hěnduō Tángdài de shīgē xiànzài de xuésheng dōu kàn de dǒng.

Yí gè Hànzì dàibiǎo yí gè yīnjié. Hànzì fāyīn xiǎngliàng, qīngchu. Shíxiàn "rén – jī" (rén hé jìsuànjī) duìhuà, Hànzì yǒu hěn dà de yōuyuèxìng.

Xuéxí jiǎndān de Hànyǔ kěyǐ bú yòng Hànzì. Dànshì, rúguǒ nǐ jìxù xuéxí, jiù bìxū xuéxí Hànzì le.

English Translation:

Chinese Characters

Chinese Characters is one of the oldest writing scripts in the world with a history of some 6, 000 years. 2, 000 years ago, the first emperor of Qin Dynasty unified China and also standardized the Chinese Characters.

There are totally more than 50, 000 Characters, but the most frequently used ones are only about 3, 000.

Chinese Characters is an important part of Chinese civilization. The Chinese history and culture are recorded in Chinese Characters. "The Analects of Confucius" is a book written 2, 000 years ago. Today people are still reading and studying this book. Students in schools can read many of the poems written in Tang Dynasty.

One Character represents one syllable. The pronunciations of Chinese Characters are loud and clear. This is a great advantage in realizing the communication between a man and a computer.

To learn simple Chinese, you may not need to learn Chinese Characters. But, it is a must if you want to continue your study.

New Words

1	piànr	片儿	measure word (for tablets, slices etc.)	
2	piàoliang	漂亮	adj.	pretty
3	xiǎng	想	v.	miss
4	yílù píng'ān	一路平安		Bon Voyage
5	Tiānxià méiyǒu bú sàn de yánxí			天下没有不散的筵席
	There are no feasts lasting forever in the world. / All the good things must have an end.			
	tiānxià	天下	n.	the world
	sàn	散	v.	disperse
	yánxí	筵席	n.	banquet; feast
6	wànshì rúyì	万事如意		everything turns out as one wishes
7	men	们		(used after a personal pronoun or a noun referring to a person to form a plural)
8	qǔdé	取得	v.	obtain

9	yǒuyì	友谊	n.	friendship
10	gǔlǎo	古老	adj.	old; ancient
11	wénzì	文字	n.	characters; writing script,
12	Qínshǐhuáng	秦始皇	n.	(221 BC. ~246 BC.) the first emperor of Qin Dynasty
13	tǒngyī	统一	v.	unify
14	Zhōnghuá	中华	n.	China
15	wénmíng	文明	n.	civilization
16	zhòngyào	重要	adj.	important
17	zǔchéng	组成	v.	form; compose
18	jìlù	记录	v.	record
19	wénhuà	文化	n.	culture
20	yánjiū	研究	v.	study; make research
21	Tángdài	唐代	n.	Tang Dynasty (618 AD. ~907 AD.)
22	shīgē	诗歌	n.	poem; poetry
23	dàibiǎo	代表	v.	represent
24	yīnjié	音节	n.	syllable
25	xiǎngliàng	响亮	adj.	loud and clear
26	shíxiàn	实现	v.	realize; accomplish
27	duìhuà	对话	n.	dialogue
28	yōuyuèxìng	优越性	n.	advantage
29	jiǎndān	简单	adj.	simple
30	jìxù	继续	v.	continue

Can you recognize these characters?

1	入口	rùkǒu	n.	entrance
2	出口	chūkǒu	n.	exit
3	男	nán	adj.	male
4	女	nǚ	adj.	female
5	桥	qiáo	n.	bridge
6	路	lù	n.	road
7	慢	màn	adj.	slow

8	停	tíng	v.	park
9	停车场	tíngchēchǎng	n.	car park
10	飞机场	fēijīchǎng	n.	airport

Glossary

A

ānpái	安排	v. /n.	arrange; arrangements	(L. 1)
ànmó	按摩	n.	massage	(L. 17)
ànniǔ	按钮	n.	push button	(L. 3)

B

bǎ	把		measure word (for umbrella, chair, etc.)	(L. 3)
bǎ	把	prep.	used in a bǎ – type sentence	(L. 15)
bǎi	摆	v.	put (appropriately)	(L. 9)
bān	搬	v.	move; take away	(L. 17)
bànfǎ	办法	n.	method; way	(L. 16)
bàngōnglóu	办公楼	n.	office building	(L. 2)
bànlǐ	办理	v.	handle	(L. 8)
bànlǐ shǒuxù	办理手续		go through formalities	(L. 8)
bànlù	半路	n.	half way	(L. 13)
bāng bu liǎo	帮不了		be not able to help	(L. 19)
bāngzhù	帮助	n. /v.	help	(L. 8)
bàng	棒	adj.	excellent	(L. 10)
bàngwǎn	傍晚	n.	toward evening; at dusk	(L. 14)
bāohán	包涵	v.	excuse; forgive	(L. 7)
bǎohù	保护	v. /n.	protect/protection	(L. 18)
bǎoxiǎn	保险	n.	insurance	(L. 2)
bǎoxiǎnguì	保险柜	n.	strongbox; safe	(L. 9)
bàoyuàn	抱怨	v. /n.	complain/complaint	(L. 15)
běibian/běi	北边/北	n.	north	(L. 2)
bèi	被	prep.	by; used in a passive sentence	(L. 17)
bèifèn	备份	n.	backup	(L. 17)
běn	本		this	(L. 19)
bǐrú	比如	conj.	for example	(L. 3)
bǐzuò	比作	v.	compare to	(L. 15)

biàn	变	v.	change	(L. 19)
biàn	遍	measure word (for actions) once through; a time		(L. 12)
biànchéng	变成	v.	change into; transform	(L. 16)
biànhuà	变化	n.	change	(L. 14)
biǎo	表	n.	list; form	(L. 1)
biǎoshì	表示	v.	express	(L. 9)
bié	别	adv.	don't	(L. 3)
bìngrén	病人	n.	patient	(L. 7)
Bú pà yí wàn, zhǐ pà wànyī.	不怕一万,只怕万一。		Better be safe than sorry.	(L. 17)
búshì . . . jiùshì . . .	不是……就是……	conj.	either . . . or . . .	(L. 13)
búdàn . . . érqiě . . .	不但……而且……	conj.	not only . . . but also . . .	(L. 14)
búyòng	不用	adv.	need not; no need	(L. 10)
bùfen	部分	n.	part	(L. 12)
bùmén	部门	n.	departments	(L. 1)
bùrándehuà	不然的话		otherwise; or else	(L. 18)
bùzhǎng	部长	n.	minister	(L. 1)

C

cā	擦	v.	wipe	(L. 13)
cāi	猜	v.	guess	(L. 5)
cái	才	adv.	not until; only, (used to indicate that the time or the occurrence of an action is late or later than expected.)	(L. 10)
cáiliào	材料	n.	material	(L. 14)
cǎiqǔ	采取	v.	adopt	(L. 9)
càidān	菜单	n.	menu	(L. 4)
chájī	茶几	n.	tea - table	(L. 9)
chán	馋	adj.	gluttonous	(L. 15)
chǎnpǐn	产品	n.	product	(L. 15)
cháng	尝	v.	taste	(L. 10)
Cháng'ān Jiē	长安街	n.	Chang'an Avenue	(L. 2)
chànggē	唱歌	v.	sing a song	(L. 12)
chéngshì	城市	n.	city	(L. 1)

chī bu liǎo	吃不了		be not able to eat up	(L. 19)
chī bu liǎo, dōuzhe zǒu. 吃不了,兜着走。			If you cannot finish (the food), you may wrap it up and take away. / land oneself in serious trouble.	(L. 19)
chī de liǎo	吃得了		can eat up	(L. 19)
chōngdiàn	充电	v.	charge with electricity; enrich one's knowledge by taking a course	(L. 12)
chū	出	v.	go; come out	(L. 15)
chūfā	出发	v.	set out; start off	(L. 7)
chūkǒu	出口	n.	exit	(L. 9)
chūshēng	出生	v.	be born	(L. 14)
chū wèntí	出问题		go wrong; go a miss	(L. 7)
chúle	除了	prep.	except	(L. 13)
chǔfāng	处方	n.	prescription	(L. 7)
chuántǒng	传统	n.	tradition	(L. 18)
chuánzhēnjī	传真机	n.	facsimile; fax machine	(L. 9)
chuānghu	窗户	n.	window	(L. 9)
chuāngtái	窗台	n.	windowsill	(L. 15)
chūntiān	春天	n.	spring	(L. 10)
cí	词	n.	word	(L. 10)
cíqì	瓷器	n.	porcelain; chinaware	(L. 1)
cì	次	measure word (for actions)	time	(L. 8)
cūn	村	n.	village	(L. 8)
cuò/cuòr	错/错儿	adj. /n.	wrong/fault	(L. 12)

D

dǎ(qì)	打(气)	v.	pump up; inflate	(L. 5)
dǎsǎo	打扫	v.	clean; sweep	
dǎsuan	打算	v.	intend; plan	(L. 7)
dǎyìn	打印	v.	print	(L. 7)
dǎyìnjī	打印机	n.	printer	(L. 9)
dǎzhēn	打针	v.	have/give an injection	(L. 7)
dàtáng	大堂	n.	lobby	(L. 3)
dàxiā	大虾	n.	prawn	(L. 4)
dàxué	大学	n.	university	(L. 14)
dāi	呆	v.	stay (informal)	(L. 14)

dài	带	v.	take; bring	(L. 8)
dài	戴	v.	wear	(L. 4)
dàibiǎo	代表	n.	representative; delegate	(L. 1)
dàikuǎn	贷款	v. /n.	provide a loan; loan	(L. 13)
dānxīn	担心	v.	worry	(L. 19)
dǎnxiǎo	胆小	adj.	timid	(L. 15)
dāngrán	当然	adv.	of course	(L. 8)
dǎo	倒	v.	fall; topple	(L. 17)
dǎoméi	倒霉	adj.	unlucky	(L. 9)
dào	倒	adv.	indicating something unexpected	(L. 12)
dàodá	到达	v.	arrive	(L. 19)
de	得		a structural particle	(L. 18)
…de shíhou	……的时候		at the time of; when	(L. 8)
dēng	灯	n.	lights	(L. 9)
dēngjī	登机	v.	board a plane	(L. 19)
dēngjì	登记	n.	registration	(L. 8)
děng	等		a particle and so on, etc.	(L. 10)
děngzheqiáo	等着瞧		wait and see	(L. 9)
dī	低	adj.	low	(L. 17)
dì	地	n.	floor; ground	(L. 13)
dì	第		a prefix used to form ordinal numerals	(L. 2)
dìdiǎn	地点	n.	place	(L. 19)
dìfang	地方	n.	place	(L. 10)
dìtú	地图	n.	map	(L. 9)
dìzhǐ	地址	n.	address	(L. 12)
diǎn	点	v.	order (in the sense of select)	(L. 4)
diǎn cài	点菜		order dishes	(L. 4)
diàn	店	n.	inn	(L. 8)
diàntī	电梯	n.	lift ; elevator	(L. 14)
diàotóu	调头	v.	make a U – turn	(L. 2)
dìng	定	v.	fix; set; decide	(L. 1)
diū	丢	v.	lose	(L. 13)
diū miànzi	丢面子		lose face	(L. 10)
dōngbian/dōng	东边/东	n.	east	(L. 2)
dòng	动	v.	touch	(L. 3)
dòngwù	动物	n.	animal	(L. 12)

dòngwùyuán	动物园	n.	zoo	(L. 16)
dōu	兜	v.	wrap up in a piece of cloth, etc.	(L. 19)
dǔ	堵	v.	get blocked; block up	(L. 5)
dǔchē	堵车	n. /v.	traffic jam	(L. 15)
dùzi	肚子	n.	belly; abdomen	(L. 7)
duì	对	prep.	to	(L. 19)
duì…gàn xìngqù	对……感兴趣		be interested in . . .	(L. 4)
duìhuà	对话	n.	dialogue	(L. 20)
duìmiàn	对面	n.	opposite	(L. 2)
dùn	盾	n.	shield	(L. 16)
duō	多	adv.	more	(L. 3)
duōyún	多云	adj.	cloudy	(L. 14)

E

è	饿	adj.	hungry	(L. 7)
Éluósī	俄罗斯	n.	Russia	(L. 2)
ěrduo	耳朵	n.	ear	(L. 12)

F

fācái	发财	v.	get rich; make a fortune	(L. 7)
fāpiào	发票	n.	invoice	(L. 12)
fāshāo	发烧	v.	have a fever	(L. 7)
fāshēng	发生	v.	happen	(L. 13)
fāyīn	发音	n.	pronunciation	(L. 19)
fāzhǎn	发展	n.	development	(L. 7)
fákuǎn	罚款	v.	impose a fine	(L. 17)
fānyì	翻译	v. /n.	translate/translation; translator	(L. 15)
fǎnduì	反对	v.	oppose	(L. 7)
fángzi	房子	n.	house; flat	(L. 7)
fàng	放	v.	put	(L. 9)
fàngxīn	放心	v.	rest assured	(L. 19)
fēi	飞	v.	fly	(L. 13)

fèi	废	adj.	waste; useless	(L. 15)
fèi	费	n.	fee	(L. 17)
fēn	分	v.	divide; separate	(L. 11)
fēngōngsī	分公司	n.	branch company	(L. 1)
fēnglì	锋利	adj.	sharp	(L. 16)
féng	逢	v.	come upon	(L. 14)
fūrén	夫人	n.	wife	(L. 13)
fùzé	负责	v.	take responsibilities; be responsible for	(L. 15)

G

gānjìng	干净	adj.	clean	(L. 9)
gǎn	敢	v.	dare	(L. 17)
gǎnmào	感冒	v. /n.	catch cold/common cold	(L. 7)
gǎnxiè	感谢	v.	thank	(L. 8)
gāng	刚	adv.	just; only a short while ago	(L. 7)
gāngqín	钢琴	n.	piano	(L. 1)
gāojí	高级	adj.	high - grade	(L. 19)
gèwèi	各位	n.	everybody (a term of address)	(L. 19)
gěi miànzi	给面子		show due respect for somebody's feelings	(L. 10)
gōngchǎng	工厂	n.	factory	(L. 4)
gōngchéngshī	工程师	n.	engineer	(L. 3)
gōngrén	工人	n.	worker	(L. 3)
gōngxǐ	恭喜	v.	congratulate (a polite formula)	(L. 7)
gōngyù	公寓	n.	apartment building	(L. 2)
gōngyuán	公园	n.	park	(L. 5)
gōngzī	工资	n.	salary	(L. 15)
gǒu	狗	n.	dog	(L. 12)
gòu	够	adj.	enough	(L. 19)
gǔ	古		ancient	(L. 15)
gǔlǎo	古老	adj.	old; ancient	(L. 20)
gùxiāng	故乡	n.	hometown	(L. 18)
guā	刮	v.	(of the wind) blow	(L. 17)
guāfēng	刮风	v.	wind blows	(L. 3)
guà	挂	v.	hang	(L. 9)
guǎi	拐	v.	turn	(L. 2)

guàibude	怪不得		no wonder	(L. 13)
guān	关	v.	turn off; close	(L. 9)
guānxīn	关心	v.	concern	(L. 17)
guānyú	关于	prep.	about; concerning	(L. 10)
guānyuán	官员	n.	official	(L. 5)
guǎnggàopái	广告牌	n.	billboard	(L. 17)
guīdìng	规定	n.	regulation; rule	(L. 15)
guǐ	鬼	n.	ghost	(L. 14)
guo	过		a particle (used after a verb to indi cate a past experience)	(L. 10)
Guójì Jùlèbù	国际俱乐部	n.	the International Club	(L. 10)
guò	过	v.	cross; pass	(L. 10)
guò	过	v.	spend (time); pass (time)	(L. 18)
guò	过	v.	pass; cross	(L. 8)
Guòle zhè gè cūn, méiyǒu zhè gè diàn.	过了这个村，没有这个店。		Don't miss the only opportunity.	(L. 8)
guòqiáofèi	过桥费	n.	toll	(L. 17)

H

hàipà	害怕	v.	be afraid of; be scared	(L. 17)
Hánguórén	韩国人	n.	Korean	(L. 13)
Hànzì	汉字	n.	Chinese characters	(L. 17)
hángbān	航班	n.	scheduled flight	(L. 19)
hǎojiǔ bú jiàn	好久不见		long time no see	(L. 13)
hǎoyòng	好用	adj.	(say of using sth.) work well; be convenient	(L. 4)
hē bū liǎo	喝不了		be not able to drink up	(L. 19)
hē de liǎo	喝得了		can drink up	(L. 19)
hélándòu	荷兰豆	n.	snow peas	(L. 4)
Hélánrén	荷兰人	n.	Dutch	(L. 13)
hépíng	和平	n.	peace	(L. 12)
hézī qǐyè	合资企业	n.	joint venture	(L. 8)
hézuò	合作	n.	cooperation	(L. 1)
hèkǎ	贺卡	n.	(New year/Christmas/birthday) card	(L. 13)
hónglǜdēng	红绿灯	n.	traffic lights	(L. 2)

hòubian	后边/后	n.	back; behind	(L. 2)
hòulái	后来	n.	afterwards; later	(L. 13)
hóur/hóuzi	猴儿/猴子	n.	monkey	(L. 15)
húli	狐狸	n.	fox	(L. 15)
hútòng	胡同	n.	lane; alley	(L. 8)
hùshi	护士	n.	nurse	(L. 3)
hùxiāng	互相	adv.	mutually	(L. 16)
huāduǒ	花朵	n.	flower	(L. 15)
huāpíng	花瓶	n.	flower vase	(L. 15)
huāshēng	花生	n.	peanut	(L. 4)
huábīng	滑冰	v. /n.	skate; skating	(L. 1)
huà	画	v.	draw	(L. 12)
huàláng	画廊	n.	picture gallery	(L. 2)
huānyíng	欢迎	v.	welcome	(L. 8)
huángěi	还给	v.	return (something) to	(L. 13)
huánbǎo	环保	n.	environmental protection	(L. 18)
huánjìng	环境	n.	environment	(L. 18)
huángdì	皇帝	n.	emperor	(L. 15)
huí bu lái	回不来		be not able to come back	(L. 19)
huí de lái	回得来		be able to come back	(L. 19)
huì	会	n.	meeting; gathering	(L. 1)
huì	会	v.	be able to; can; be good at	(L. 1)
huì . . . (de)	会……(的)	v.	be sure to	(L. 1)
huìjiàn	会见	v.	meet (some one)	(L. 1)
huìtán	会谈	v. /n.	negotiate/negotiation	(L. 5)
huìyì	会议	n.	meeting	(L. 19)
huó	活	v. /adj.	live; alive	(L. 9)
Huó dào lǎo, xué dào lǎo.	活到老,学到老。		Keep on learning as long as you live. One is never too old to learn.	(L. 13)
huǒ	火	n.	fire	(L. 19)

J

jī	鸡	n.	chicken	(L. 12)
jīdàn	鸡蛋	n.	hen egg	(L. 12)
jīhuì	机会	n.	opportunity	(L. 8)
jítā	吉他	n.	guitar	(L. 1)

jǐ	几	num./pron.	a few, several/how many	(L. 1)
jì	寄	v.	mail; post	(L. 14)
jìhuà	计划	n.	plan	(L. 13)
jìlù	记录	v.	record	(L. 20)
jìsuànjī	计算机	n.	computer	(L. 1)
jìxù	继续	v.	continue	(L. 20)
jiā	加	v.	add	(L. 5)
jiā	家	n.	home/measure word (for business establishments)	(L. 1)
jiāyóu	加油	v.	refuel	(L. 5)
jiāyóuzhàn	加油站	n.	gas station	(L. 10)
jiàgé	价格	n.	price	(L. 5)
jiǎndān	简单	adj.	simple	(L. 20)
jiànlì	建立	v.	set up; establish	(L. 8)
jiànyì	建议	v.	suggest	(L. 18)
jiāng	将	adv.	will; shall	(L. 5)
jiǎng	讲	v.	explain	(L. 10)
jiǎnghuà	讲话	n.	speech	(L. 19)
jiàngdī	降低	v.	lower; reduce	(L. 17)
jiāo	教	v.	teach	(L. 12)
jiāogěi	交给	v.	hand over to	(L. 13)
jiāofèi	交费	v.	hand over the payment; pay	(L. 7)
jiǎohuá	狡猾	adj.	sly	(L. 15)
jiàochē	轿车	n.	sedan; car	(L. 19)
jiēshi	结实	adj.	durable; strong	(L. 16)
jiéguǒ	结果	n.	result	(L. 16)
jiéshù	结束	v.	end; wind up	(L. 2)
jiějué	解决	v.	solve (a problem)	(L. 1)
jiègěi	借给	v.	lend to	(L. 13)
jièshào	介绍	v.	introduce	(L. 8)
jièzhi	戒指	n.	(finger) ring	(L. 5)
jǐnzhāng	紧张	adj.	be nervous	(L. 10)
jìnkǒu	进口	v.	import	(L. 4)
jīngyàn	经验	n.	experience	(L. 3)
jǐngchá	警察	n.	police	(L. 5)
Jiǔ féng zhījǐ qiān bēi shǎo.	酒逢知己千杯少		Drinking with a congenial friend; a thousand toasts are too few.	(L. 14)

jiù	就	adv.	exactly	(L. 2)
jiù	就	conj.	immediately; then (used to connect two actions)	(L. 7)
jiù	就	adv.	as early as (used after a word or phrase denoting time to indicate that the time is early or earlier than expected.)	(L. 10)
jiù bu liǎo	救不了		be not able to put out (a fire)	(L. 19)
jūliúzhèng	居留证	n.	residence permit	(L. 8)
jǔxíng	举行	v.	hold (a meeting, ceremony etc.)	(L. 1)
juéde	觉得	v.	feel	(L. 5)

K

kāfēidiàn	咖啡店	n.	coffee bar	(L. 2)
Kǎtè	卡特	n.	Carter; name of a person	(L. 18)
kāi	开	v.	turn on; open	(L. 9)
kāi qìchē	开汽车		drive a car	(L. 1)
kāihuì	开会	v.	attend/hold a meeting	(L. 8)
kāishǐ	开始	v. /n.	begin/ beginning	(L. 5)
kāitóu	开头	n.	the beginning	(L. 11)
kāixīn	开心	adj.	happy; joyous	(L. 18)
kàn	看	v.	think (followed by opinion or judgment)	(L. 4)
kàn bu dǒng	看不懂		be not able to understand through reading	(L. 19)
kàn bu jiàn	看不见		be not able to see	(L. 19)
kàn de dǒng	看得懂		can understand through reading	(L. 19)
kàn de jiàn	看得见		be able to see	(L. 19)
kànjiàn	看见	v.	see	(L. 12)
kǎolǜ	考虑	v.	think over	(L. 8)
késou	咳嗽	v.	cough	(L. 7)
kě'ài	可爱	adj.	lovely; cute	(L. 10)
kěnéng	可能	v.	maybe; possible	(L. 3)

kěshì	可是	conj.	but	(L. 19)
kěxī	可惜	adj.	it's a pity	(L. 9)
kèhù	客户	n.	client	(L. 15)
kèqi	客气	adj.	polite; courteous	(L. 8)
kè suí zhǔ biàn	客随主便		A guest should suit the convenience of the host/hostess	(L. 10)
kěndìng	肯定	v.	be sure	(L. 17)
kōng	空	adj.	empty	(L. 14)
kōngqì	空气	n.	air	(L. 13)
kōngtiáo	空调	n.	air – conditioner	(L. 9)
kòuxià	扣下	v.	detain; keep by force	(L. 17)
kùzi	裤子	n.	trousers; pants	(L. 5)
kuàijì	会计	n.	accountant	(L. 5)
kuàilè	快乐	adj.	happy	(L. 7)
kùn	困	adj.	sleepy	(L. 7)

L

lājītǒng	垃圾桶	n.	garbage can	(L. 15)
lǎo	老	adj.	old; overgrown, well – done; tough	(L. 4)
(lǎo)hǔ	(老)虎	n.	tiger	(L. 15)
(lǎo)shǔ	(老)鼠	n.	mouse; rat	(L. 15)
lǐ	里	n.	in (used after a noun; indicating the inside of an object)	(L. 9)
lǐbian	里边	n.	inside	(L. 2)
lǐwù	礼物	n.	gift	(L. 13)
lǐzi	李子	n.	plum	(L. 19)
lìhai	厉害	adj.	serious; terrible; (of a person) harsh	(L. 15)
lìjiāoqiáo	立交桥	n.	overpass	(L. 2)
lìlǜ	利率	n.	interest rate	(L. 17)
lìzi	栗子	n.	chest nut	(L. 19)
liánxì	联系	v.	contact	(L. 1)
liáng	凉	adj.	chilly; cool; cold	(L. 4)
liǎojiě	了解	v.	understand; comprehend	(L. 18)
lǐngdài	领带	n.	necktie	(L. 4)

lǐngdǎo	领导	n.	leader	(L. 5)
lóng	龙	n.	dragon	(L. 15)
lùkǒu	路口	n.	cross; intersection	(L. 2)
lúntāi	轮胎	n.	tyre	(L. 3)
Lúnyǔ	论语	n.	The Analects of Confucius	(L. 18)
lǘ	驴	n.	donkey	(L. 15)
lǚkè	旅客	n.	passenger	(L. 19)
lǚtú	旅途	n.	journey	(L. 12)
lǚxíngshè	旅行社	n.	travel agent	(L. 12)
lǚyóu	旅游	v.	tour; go sightseeing	(L. 9)
lǜshī	律师	n.	lawyer	(L. 8)

M

ma	嘛	a particle used at the end of a sentence indicating that something is obvious.		(L. 12)
māma	妈妈	n.	mum; mother	(L. 16)
máfan	麻烦	n. /v. /adj.	trouble; bother/troublesome, inconvenient	(L. 1)
mǎ	马	n.	horse	(L. 15)
mǎdàhā	马大哈	n. /adj.	a careless person; careless	(L. 7)
mǎlù/lù	马路/路	n.	road	(L. 2)
mǎi bu qǐ	买不起		can not afford to buy	(L. 19)
mǎidān	买单	v.	buy the bill	(L. 17)
mǎi de qǐ	买得起		can afford to buy	(L. 19)
mài	卖	v.	sell	(L. 19)
mǎnshàng	满上	v.	fill up (a cup)	(L. 13)
māo	猫	n.	cat	(L. 12)
máo	矛	n.	spear; pike	(L. 16)
Máo Zhǔxí	毛主席	n.	Chairman Mao (the former Chinese leader)	(L. 15)
máodùn	矛盾	n. /adj.	contradiction; contradictory	(L. 16)
máoyī	毛衣	n.	woolen sweater	(L. 13)
máojīn	毛巾	n.	towel	(L. 5)
méicuòr	没错儿		That's right.	(L. 18)
méirén	没人	pron.	nobody	(L. 10)
měi	美	adj.	beautiful	(L. 5)

měinǚ	美女	n.	a beautiful women; a beauty	(L. 15)
měishùguǎn	美术馆	n.	art gallery	(L. 10)
men	们		suffix (used after a personal pronoun or a noun referring to a person to form a plural)	(L. 20)
mēnrè	闷热	adj.	muggy; hot and suffocating	(L. 14)
mén	门	n.	door	(L. 9)
mǐfàn	米饭	n.	(cooked) rice	(L. 4)
mìmì	秘密	n.	secret	(L. 13)
miànzi	面子	n.	prestige; face	(L. 10)
miǎo	秒	n.	second (a length of time)	(L. 18)
míng	名	n.	order	(L. 2)
mùlù	目录	n.	catalogue	(L. 15)

N

ná	拿	v.	hold; take	(L. 9)
nǎlǐ nǎlǐ	哪里哪里		a humble expression (used as a polite reply to a compliment)	(L. 10)
nǎxiē	哪些	pron.	which (pl.)	(L. 5)
nàme	那么	conj. /adv.	in that case; then/so	(L. 11)
nánbian/nán	南边/南	n.	south	(L. 2)
nào xiàohua	闹笑话		make a fool of oneself; make a stupid mistake	(L. 19)
nèiháng	内行	n.	expert	(L. 3)
nèiróng	内容	n.	content	(L. 15)
nèn	嫩	adj.	tender	(L. 4)
niánqīng	年轻	adj.	young	(L. 10)
niǎo	鸟	n.	bird	(L. 12)
niú	牛	n.	ox	(L. 15)
nòngcuò	弄错	v.	mistake; make a mistake	(L. 15)
núlì	奴隶	n.	slave	(L. 19)

P

pà	怕	v.	fear; be afraid of	(L. 15)

pāi	拍	v.	take (a picture); shoot	(L. 5)
páizi	牌子	n.	sign (marked/written on a plate); plate	(L. 9)
páizi	牌子	n.	brand; trademark; sign; plate	(L. 10)
pài	派	v.	assign	(L. 5)
pángbiān	旁边	n.	side; next to	(L. 2)
pǎo	跑	v.	run; run away	(L. 16)
péi	陪	v.	accompany	(L. 1)
pí(r)	皮(儿)	n.	peel; rind; skin	(L. 12)
píqi	脾气	n.	temperament; temper	(L. 7)
piànr	片儿	measure word	(for tablets; slices etc.)	(L. 20)
piàoliang	漂亮	adj.	pretty	(L. 20)
pútáo	葡萄	n.	grape	(L. 12)
pǔtōng	普通	adj.	ordinary; common	(L. 19)

Q

qǐfēi	起飞	v.	(a plane) take off	(L. 12)
qì	气	n.	air	(L. 3)
qìguǎnyán	气管炎	n.	tracheitis; henpecked husband	(L. 7)
qìhòu	气候	n.	climate	(L. 14)
qiánbāo	钱包	n.	wallet; purse	(L. 2)
qiánbian	前边	n.	front	(L. 2)
qiáng	墙	n.	wall	(L. 9)
qiāo	敲	v.	knock	(L. 12)
qiáo	桥	n.	bridge	(L. 2)
qīngcài	青菜	n.	vegetables; greens	(L. 4)
qīngchu	清楚	adj.	clear(easy to see; hear; read or understand)	(L. 12)
qīngzhēng	清蒸	n.	steam without soy sauce	(L. 4)
qíng	晴	adj.	sunny; clear	(L. 3)
qíngrén yǎn zhong chū Xīshī		情人眼中出西施	Beauty is in the eye of the beholder.	(L. 15)
qíngrén	情人	n.	lover	(L. 15)
Qínshǐhuáng	秦始皇		(221 BC. ~246 BC.) the first emperor of Qin Dynasty	(L. 20)

qǐng wèn	请问		may I ask . . .	(L. 2)
Qǐng wù xīyān	请勿吸烟		No smoking	(L. 9)
qǐngjiǎn	请柬	n.	invitation	(L. 5)
qìngzhù	庆祝	v.	celebrate	(L. 5)
qiūtiān	秋天	n.	autumn	(L. 10)
Qūfù	曲阜	n.	name of a city in Shandong Province	(L. 18)
qǔdé	取得	v.	obtain	(L. 20)

R

ránhòu	然后	conj.	then; afterwards	(L. 5)
ràng	让	v.	let; ask; allow	(L. 5)
ràng lù	让路	v.	give way; make way for sb.	(L. 5)
ràokǒulìng	绕口令	n.	tongue twister	(L. 12)
rèqíng	热情	adj.	warm	(L. 8)
rènzhēn	认真	adj.	serious (not joking or funny)	(L. 12)
rēng	扔	v.	throw away; cast aside	(L. 15)
rì	日	n.	day	(L. 5)
rìchéng	日程	n.	schedule; agenda	(L. 1)
rìchéngbiǎo	日程表	n.	schedule	(L. 1)
rìqī	日期	n.	date	(L. 12)
róngyi	容易	adj.	easy	(L. 9)
rùkǒu	入口	n.	entrance	(L. 9)
rùxiāngsuísú	入乡随俗		Wherever you are, foll ow local customs. When in Rome do as the Romans do.	(L. 12)

S

sài	赛	n.	match; competition	(L. 2)
sǎn	伞	n.	umbrella	(L. 3)
sàn	散	v.	disperse	(L. 20)
sǎngzi	嗓子	n.	throat	(L. 7)
sǎo	扫	v.	sweep (with a broom)	(L. 17)
shǎ	傻	adj.	stupid; silly	(L. 12)
shān	山	n.	mountain; hill	(L. 19)

shàngbian/shàng	上边/上	n.	above	(L. 2)
shāo	稍	adv.	slightly	(L. 5)
shǎo	少	adv.	less	(L. 3)
shé	蛇	n.	snake	(L. 15)
Shéi zuìhòu xiào, shéi xiào de zuì hǎo. 谁最后笑,谁笑得最好。		He who laughs last laughs best.		(L. 18)
shēng	生	adj.	raw; unripe; uncooked	(L. 4)
shēngchǎn	生产	v.	produce	(L. 4)
shēngcí	生词	n.	new words	(L. 7)
shēnghuó	生活	n.	life	(L. 13)
shēngrì	生日	n.	birthday	(L. 1)
shēngxiāo	生肖	n.	the animals used to symbolize the year in which one is born	(L. 15)
shēngyi	生意	n.	business	(L. 8)
Shèngdànjié	圣诞节	n.	Christmas	(L. 12)
shī	诗	n.	poem	(L. 10)
shīgē	诗歌	n.	poem; poetry	(L. 20)
shīwàng	失望	adj.	feel disappointed	(L. 9)
shí = rènshi	(认)识	v.	know; recognize	(L. 18)
Shísān Líng	十三陵	n.	the Ming Tombs	(L. 2)
shíxiàn	实现	v.	realize; accomplish	(L. 20)
shì	试	v.	try	(L. 5)
shì ... de	是……的	a sentence construction for emphasis		(L. 14)
shìbiǎo	试表	v.	take somebody's temperature	(L. 7)
shìchǎng	市场	n.	market	(L. 5)
shìjiè	世界	n.	the world	(L. 9)
Shìjièbēi Zúqiúsài	世界杯足球赛	the World Cup Football Competition		(L. 2)
shìyè	事业	n.	career	(L. 15)
shōudào	收到	v.	receive	(L. 10)
shōufèizhàn	收费站	n.	toll gate	(L. 10)
shōujù	收据	n.	receipt	(L. 17)
shōuxià	收下	v.	accept(something offered as a gift)	(L. 14)
shóu	熟	adj.	ripe; cooked	(L. 4)
shǒu	手	n.	hand	(L. 9)
shǒubiǎo	手表	n.	wrist watch	(L. 19)
shǒuxù	手续	n.	formalities	(L. 8)

shūdiàn	书店	n.	book store	(L. 2)
shūguì	书柜	n.	bookcase	(L. 9)
shǔ	数	v.	count	(L. 2)
shǔ	属	v.	be born in the year of (one of the 12 symbolic animals)	(L. 15)
shù	束	a measure word a bunch of		(L. 9)
shùmǎ－xiàngjī	数码相机	n.	digital camera	(L. 5)
shuāng	霜	n.	frost (the white powdery substance)	(L. 10)

Shuāngyè hóng yú Èryuè huā 霜叶红于二月花

The frosty leaves are redder than the flowers of early spring. (L. 10)

shuǐguǒ	水果	n.	fruit	(L. 4)
shuǐlóngtóu	水龙头	n.	(water) tap; faucet	(L. 5)
shuì	税	n.	tax	(L. 13)
shuō	说	v.	scold; say; speak	(L. 18)
shuō shíhuà	说实话		to tell the truth	(L. 17)
shuōmíngshū	说明书	n.	a booklet of directions	(L. 12)
sīxiāngbìng	思乡病	n.	homesickness	(L. 17)
sīxiǎng	思想	n.	thought; thinking; ideology	(L. 18)
sǐ	死	v.	die	(L. 16)
sòng	送	v.	see somebody off; escort	(L. 5)
sònggěi	送给	v.	give (someone something as a gift)	(L. 4)
suān-làtāng	酸辣汤	n.	sour and spicy soup	(L. 4)
suīrán... dànshì..	虽然……但是……	conj.	although; though ... (but) ...	(L. 7)
suíbiàn	随便	adv. /adj.	casually; do as one pleases	(L. 4)
suǒ	锁	v. /n.	lock	(L. 9)
suǒyǐ	所以	conj.	therefore	(L. 3)

T

tàidù	态度	n.	attitude	(L. 9)
Tàishān	泰山	n.	Mt. Tai, in Shangdong Province; wife's father	(L. 18)
tàiyang	太阳	n.	the sun	(L. 15)
tán	弹	v.	play (a musical instrument with	

			fingers)	(L. 1)
tāng	汤	n.	soup	(L. 4)
Tángdài	唐代	n.	Tang Dynasty (618 AD. – 907 AD.)	(L. 20)
tǎng	躺	v.	lie (in a flat position on a surface)	(L. 9)
táoqì	淘气	adj.	naughty; mischievous	(L. 15)
tào	套	measure word	set (for rooms, furniture, book setc.)	(L. 7)
tèbié	特别	adj.	special	(L. 15)
téng	疼	adj.	be sore; ache	(L. 7)
tígāo	提高	v.	raise; increase	(L. 17)
tìzuìyáng	替罪羊	n.	scapegoat	(L. 15)
Tiāntán	天坛	n.	the Temple of Heaven	(L. 2)
tiānxià	天下	n.	the world	(L. 20)
Tiānxià méiyǒu bú sàn de yánxí	天下没有不散的筵席		There are no feasts lasting forever in the world. All the good things must have an end.	(L. 20)
tiáo	条	measure word	(for road, street etc.)	(L. 2)
tiáozi	条子	n.	a brief informal note	(L. 13)
tīng bu dǒng	听不懂		be not able to understand through listening	(L. 19)
tīng de dǒng	听得懂		can understand through listening	(L. 19)
tīngjiàn	听见	v.	hear	(L. 12)
tíng	停	v.	park; stop	(L. 5)
tǒngyī	统一	v.	unify	(L. 20)
tōu	偷	v.	steal	(L. 17)
tóu	头	n.	head	(L. 7)
tóuzī	投资	v.	invest	(L. 5)
tòu	透	v.	penetrate	(L. 16)
tūrán	突然	adv.	suddenly	(L. 19)
tǔ	吐	v.	spit	(L. 12)
tù(zi)	兔(子)	n.	hare; rabbit	(L. 15)
tuīxiāoyuán	推销员	n.	salesman	(L. 3)

W

wàzi	袜子	n.	socks; stockings	(L. 5)
wàibian	外边	n.	outside	(L. 2)
wàiháng	外行	n.	layman; non - expert	(L. 3)
wàijiāo	外交	n.	diplomatic	(L. 2)
wán	完	v.	be over	(L. 12)
wǎn	碗	n.	bowel	(L. 4)
wànshì	万事	n.	all things (wàn: ten thousand; shì: matter)	(L. 11)
wànshì kāitóu nán	万事开头难		everything is hard in the beginning	(L. 11)
wànshì rúyì	万事如意		everything turns out as one wishes	(L. 20)
wànyī	万一	n.	eventuality	(L. 17)
wǎng	往	prep.	in the direction of , towards	(L. 2)
wàng	忘	v.	forget	(L. 9)
wēixiǎn	危险	adj.	dangerous	(L. 18)
wéixiū	维修	n.	maintenance	(L. 1)
wèi(le)	为(了)	prep.	in order to; for; for the sake of	(L. 5)
wèilái de	未来的		would - be, future	(L. 18)
wénhuà	文化	n.	culture	(L. 20)
wénjiàn	文件	n.	documents	(L. 9)
wénmíng	文明	n.	civilization	(L. 20)
wénzì	文字	n.	characters; writing script	(L. 20)
wèn	问	v.	ask (a question)	(L. 2)
wènhòu	问候	n.	greetings	(L. 13)
Wǒ de tiān!	我的天!		Good Heavens! My God!	(L. 19)
wūrǎn	污染	n. /v.	pollution; pollute	(L. 15)
wūzi	屋子	n.	room	(L. 13)
wù	雾	n.	fog	(L. 19)

X

xībian/xī	西边/西	n.	west	(L. 2)
xībù	西部	n.	western part	(L. 5)
Xīshī	西施	n.	the name of a beauty in	

			ancient time	(L. 15)
xīwàng	希望	v.	hope	(L. 1)
xǐ	洗	v.	wash	(L. 13)
xǐzǎo	洗澡	v.	take a both	(L. 7)
xiàxuě	下雪	v.	snow	(L. 3)
xiàyǔ	下雨	v.	rain	(L. 3)
xiàbian/xià	下边/下	n.	underneath	(L. 2)
xiàshuǐdào	下水道	n.	sewer	(L. 5)
xiàtiān	夏天	n.	summer	(L. 3)
xiān	先	adv.	first	(L. 8)
Xiāngshān	香山	n.	Fragrant Hill (in Beijing)	(L. 10)
xiāngshuǐ	香水	n.	perfume	(L. 10)
xiāngsībìng	相思病	n.	lovesickness	(L. 17)
xiāngxìn	相信	v.	be convinced; believe	(L. 17)
xiǎng	响	v.	ring	(L. 12)
xiǎng	想	v.	miss	(L. 20)
xiǎngdào	想到	v.	think of, expect sth. to happen	(L. 18)
xiǎngliàng	响亮	adj.	loud and clear	(L. 20)
xiàng	像	v.	be like; resemble	(L. 15)
xiàngmù	项目	n.	project	(L. 4)
xiàngzhēng	象征	v.	symbolize	(L. 12)
xiāoshòu	销售	n.	sales; marketing	(L. 1)
xiǎobǎishè	小摆设		knickknack	(L. 9)
xiǎotōu(r)	小偷(儿)	n.	pickpocket; petty thief	(L. 17)
xiǎoxīn	小心	adj. /v.	careful/take care	(L. 17)
xiào	笑	v.	laugh; smile	(L. 19)
xiě	写	v.	write	(L. 8)
xiě bu wán	写不完	be not able to finish writing		(L. 19)
xiě de wán	写得完		can finish writing	(L. 19)
xīn	新	adv. /adj.	newly/new	(L. 4)
Xīnjiāng	新疆	n.	Xingjiang name of a place	(L. 4)
xīnshǒu	新手	n.	new hand, person with little experience	(L. 3)
xīnzàng	心脏	n.	heart	(L. 7)
xìnxī	信息	n.	information	(L. 9)
xìnxīn	信心	n.	confidence	(L. 1)

xíngli	行李	n.	luggage	(L. 13)
xióngmāo	熊猫	n.	panda	(L. 12)
xiūlǐ	修理	v.	repair	(L. 12)
xūyào	需要	v. /v.	need	(L. 7)
xuésheng	学生	n.	student	(L. 11)
xuèyā	血压	n.	blood pressure	(L. 7)

Y

Yàzhōu	亚洲	n.	Asia	(L. 18)
yánjiū	研究	v.	study; make research	(L. 20)
yántǎohuì	研讨会	n.	seminar; symposium	(L. 1)
yǎn	眼	n.	eye	(L. 15)
yǎn(jing)	眼(睛)	n.	eye	(L. 18)
yánxí	筵席	n.	banquet; feast	(L. 20)
yáng	羊	n.	goat; sheep	(L. 15)
yāoqǐng	邀请	v.	invite	(L. 5)
yào	药	n.	medicine	(L. 12)
yào . . . le	要……了		shall; will; be going to	(L. 3)
yàoshi	钥匙	n.	key	(L. 13)
yěcān	野餐	n.	picnic	(L. 7)
yè	叶	n.	leaves	(L. 10)
yèlǐ	夜里	n.	night	(L. 3)
yèwù	业务	n.	vocational work; business	(L. 8)
yī . . . jiù . . .	一……就…… when(ever) . . . immediately/then . . . as soon as			(L. 10)
yījià	衣架	n.	clothes – rack	(L. 9)
yīyuàn	医院	n.	hospital	(L. 7)
yílù píng'ān	一路平安		Bon Voyage	(L. 20)
yíqiè	一切	pron.	everything	(L. 13)
yíhuìr	一会儿	n.	a little while	(L. 5)
yǐjīng	已经	adv.	already	(L. 4)
yìsi	意思	n.	meaning; a token of affection	(L. 10)
yìzhí	一直	adv.	straight forward	(L. 2)
yīn	阴	adj.	overcast	(L. 3)
yīnjié	音节	n.	syllable	(L. 20)

yīntèwǎng	因特网	n.	Internet	(L. 9)
yǐnqǐ	引起	v.	cause	(L. 7)
yíngjiē	迎接	v.	meet; welcome	(L. 19)
yǐngxiǎng	影响	n.	influence	(L. 18)
yōuyuèxìng	优越性	n.	advantage	(L. 20)
yóu	由	prep.	from	(L. 19)
yóu	油	n.	oil	(L. 3)
yóuyǒngchí	游泳池	n.	swimming pool	(L. 19)
yǒu jīngyàn de	有经验的	adj.	experienced	(L. 3)
Yǒu yǎn bù shí Tàishān	有眼不识泰山	have eyes but not see Mt. Tai, entertain an angel unawareness		(L. 18)
yǒu jīngshen	有精神		energetic; vigorous	(L. 18)
yǒumíng	有名	adj.	famous	(L. 4)
yǒushíhou	有时候	adv.	sometimes	(L. 7)
yǒuxiào	有效	adj.	effective	(L. 17)
yǒuyì	友谊	n.	friendship	(L. 20)
yǒuyòng	有用	adj.	useful	(L. 8)
yòu	又	adv.	also; in addition	(L. 7)
yòubian/yòu	右边/右	n.	right	(L. 2)
yòuéryuán	幼儿园	n.	kindergarten	(L. 12)
yú	鱼	n.	fish	(L. 4)
yú	于	prep.	than	(L. 10)
yúchǔn	愚蠢	adj.	stupid; foolish	(L. 15)
yúkuài	愉快	adj.	pleasant	(L. 12)
yuǎnshuǐ jiù bu liǎo jìnhuǒ.		远水救不了近火。 Distant water cannot put out a nearby fire. While the grass grows the horse starves.		(L. 19)
yuǎnchù	远处	n.	a distant place	(L. 19)
yuèlái yuè	越来越		more and more	(L. 9)
yuè ... yuè ...	越……越……	the more ...	the more ...	(L. 9)
yǔnxǔ	允许	v.	allow	(L. 17)
yùndòngyuán	运动员	n.	sportsman	(L. 18)

Z

zánmen	咱们	pron.	we; us (including both the speaker

			and the person or persons spoken to)	(L. 5)
zànměi	赞美	v. / n.	praise, eulogize/ compliment	(L. 10)
zǎo	早	adj.	early	(L. 8)
zhā	扎	v.	stab; stick into	(L. 16)
zhāpí	扎啤	n.	draft beer	(L. 3)
zhá/yóuzhā	炸/油炸	v.	deep fry	(L. 4)
zhǎnlǎnhuì	展览会	n.	exhibition	(L. 1)
zhàn	站	n.	station; stop	(L. 19)
zhàn	站	v.	stand	(L. 9)
Zhàn de gāo, kàn de yuǎn.	站得高,看得远。		Stand high and see far.	(L. 18)
zhàngdān	账单	n.	bill	(L. 15)
zhāodài	招待	v.	receive (guests)	(L. 8)
zhāodàihuì	招待会	n.	reception	(L. 1)
zháojí	着急	adj.	be anxious; be worried	(L. 3)
zhǎo	找	v.	look for; try to find; give change	(L. 5)
zhàopiàn	照片	n.	picture; photo	(L. 5)
zhe	着		a particle(used after a verb to indicate the continuation of a state)	(L. 9)
zhéxuéjiā	哲学家	n.	philosopher	(L. 12)
zhème	这么	pron.	so; such	(L. 18)
zhèxiē	这些	pron.	these	(L. 4)
zhēn	针	n.	needle	(L. 17)
zhēnjiǔ	针灸	n.	acupuncture and moxibustion	(L. 17)
zhènyǔ	阵雨	n.	shower (a fall of rain lasting a short time)	(L. 14)
zhēng	蒸	v.	steam	(L. 4)
zhèng	挣	v.	earn	(L. 18)
zhèngcháng	正常	adj.	normal	(L. 7)
zhèngfǔ	政府	n.	government	(L. 5)
zhèngzài(. . . ne)	正在 (……呢)	adv.	in process of	(L. 8)
zhīchí	支持	v.	support	(L. 7)
zhījǐ	知己	n.	an intimate friend	(L. 14)
zhīshi	知识	n.	knowledge	(L. 13)
zhīxīn	知心	adj.	intimate	(L. 7)
zhí	值	v.	be worth	(L. 4)

zhídé	值得	v.	be worth (doing sth.)	(L. 18)
... zhī yī	……之一		one of	(L. 8)
zhíyuán	职员	n.	staff member	(L. 3)
zhǐjiào	指教	v.	give advice(a polite formula)	(L. 8)
zhìliàng	质量	n.	quality	(L. 12)
zhìzào	制造	v.	manufacture; make	(L. 4)
zhōng	中	n.	in (used after a noun; indicating the inside of an object)	(L. 15)
Zhōngcāntīng	中餐厅	n.	Chinese food restaurant	(L. 4)
Zhōngguótōng	中国通	n.	a China hand, an expert on China	(L. 18)
Zhōnghuá	中华	n.	China	(L. 20)
zhōngjiān	中间	n.	middle	(L. 2)
zhōngyào	中药	n.	traditional Chinese medicine	(L. 17)
zhōngyī	中医	n.	traditional Chinese medical science	(L. 17)
zhǒng	种	measure word	sort; kind	(L. 15)
zhòngyào	重要	adj.	important	(L. 20)
zhū	猪	n.	pig	(L. 15)
zhúzi	竹子	n.	bamboo	(L. 12)
zhǔ	煮	v.	boil	(L. 4)
zhùhè	祝贺	v.	congratulate	(L. 7)
zhùyì	注意	v.	pay attention to	(L. 18)
zhùyuàn	祝愿	v.	wishes	(L. 12)
zhuāng	装	v.	load; install	(L. 4)
zhuàng	撞	v.	collide; run into; hit	(L. 17)
zhuīshang	追上	v.	catch up; catch up with	(L. 18)
zhǔnbèi	准备	n. /v.	preparation; prepare	(L. 8)
zhuōzi	桌子	n.	desk; table	(L. 2)
zījīn	资金	n.	funds	(L. 19)
zīliào	资料	n.	data; information; material	(L. 14)
zǐxì	仔细	adj.	careful	(L. 15)
zì	字	n.	word; character	(L. 12)
zìjǐ	自己	pron.	oneself	(L. 16)
zìxiāngmáodùn	自相矛盾		self – contradictory	(L. 16)
zìzhùcān	自助餐	n.	buffet	(L. 9)
zǒnggōngsī	总公司	n.	head office (of a corporation)	(L. 1)

zǒnglǐ	总理	n.	prime minister	(L. 13)
zǒu	走	v.	walk	(L. 2)
zúqiú	足球	n.	football; soccer	(L. 2)
zúqiúsài	足球赛	n.	football match	(L. 2)
zǔchéng	组成	v.	form; compose	(L. 20)
zǔguó	祖国	n.	motherland	(L. 13)
zuìhòu	最后	n.	finally	(L. 8)
zuìjìn	最近	n.	recently	(L. 8)
zuìshǎo	最少		at least	(L. 9)
zuǒbian/zuǒ	左边/左	n.	left	(L. 2)
zuǒyòu	左右		a particle (used after a numeral) about; or so	(L. 14)
zuò	做	v.	act as; be; do	(L. 11)

责任编辑： 曲　径
封面设计： 何永妍
印刷监制： 佟汉冬

图书在版编目（CIP）数据

汉语入门. 上下册 / 郭辉春编著. —北京：华语教学出版社，2002.6
ISBN 978-7-80052-856-9

Ⅰ. 汉…　Ⅱ. 郭…　Ⅲ. 对外汉语教学—教材　Ⅳ. H195.4

中国版本图书馆CIP数据核字（2002）第047913号

汉语入门
（上下册）
郭辉春　编著
*

华语教学出版社出版
（中国北京百万庄大街24号　邮政编码100037）
电话: (86)10-68320585
传真: (86)10-68326333
网址: www.sinolingua.com.cn
电子信箱: hyjx@sinolingua.com.cn
北京外文印刷厂印刷
2003年(16开)第一版
2010年第一版第三次印刷
(汉英)
ISBN 978-7-80052-856-9
定价: 80.00元 (全二册)